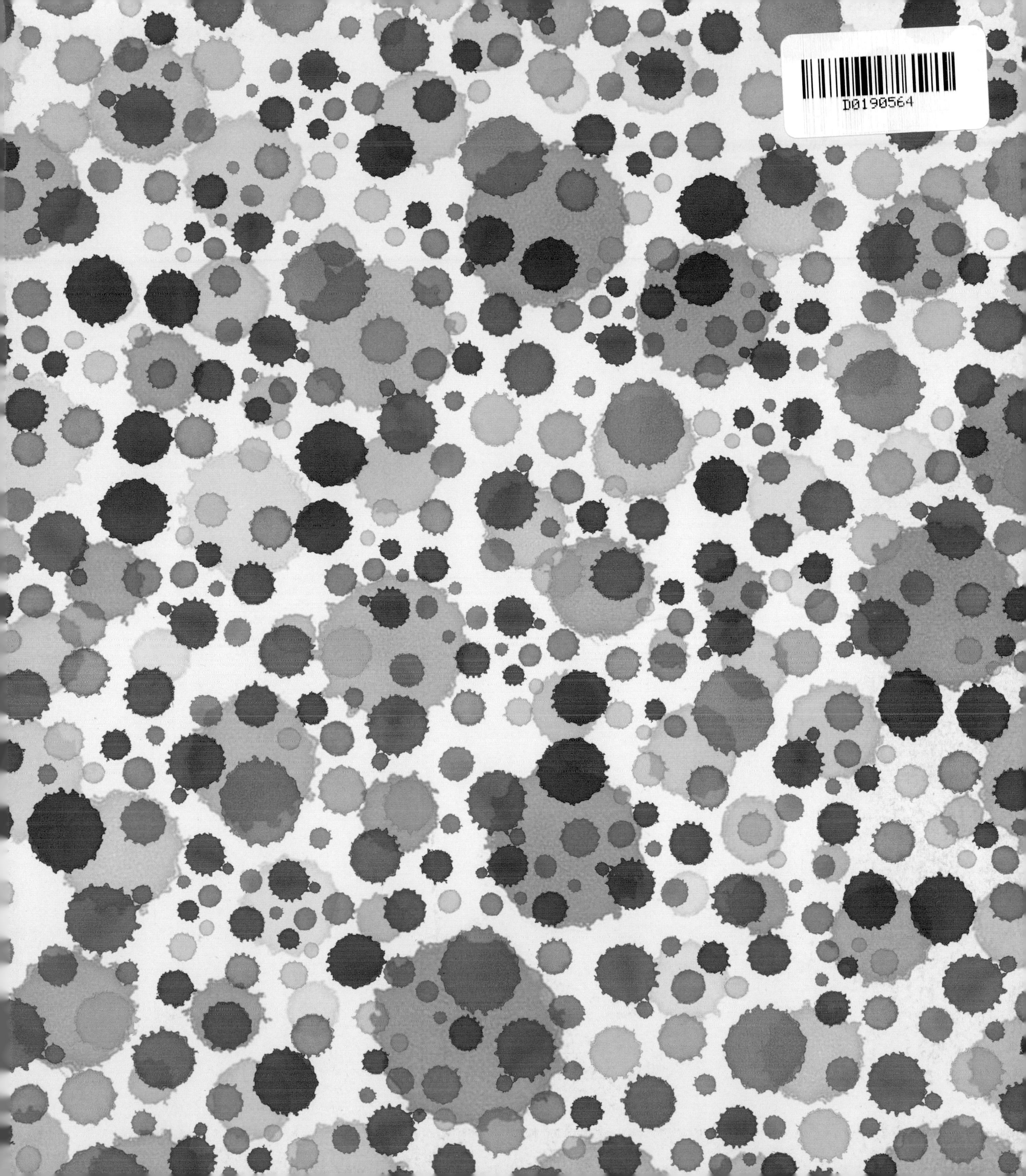

Contes classiques

d'hier à aujourd'hui

Traduit de l'espagnol par Lori Saint-Martin
Illustrations de María Jesús Álvarez

Hurtubise

Illustrations : María Jesús Álvarez
Graphisme : Nathalie Tassé
Traduction : Lori Saint-Martin

Les Éditions Hurtubise bénéficient du soutien financier des institutions suivantes pour leurs activités d'édition :
- Gouvernement du Canada par l'entremise du Fonds du livre du Canada (FLC).
- Gouvernement du Québec par l'entremise du crédit d'impôt pour l'édition de livres.

ISBN : 978-2-89647-959-7

Dépôt légal : 4e trimestre 2012
Bibliothèque et Archives nationales du Québec
Bibliothèque et Archives Canada

Diffusion-distribution au Canada et aux États-Unis :
Distribution HMH
1815, avenue De Lorimier
Montréal (Québec) H2K 3W6
www.distributionhmh.com

Imprimé en Chine
www.editionshurtubise.com

Table des matières

Le vilain petit canard

Il était une fois une cane qui avait les plus beaux canetons de la ferme où elle vivait. Et chaque fois que ses petits étaient sur le point de naître, ses amies de la basse-cour accouraient les voir éclore, les admirer et la féliciter. Ravie, elle acceptait leurs éloges avec modestie, mais son cœur était plein d'orgueil et elle se rengorgeait secrètement :

Ils sont beaux, mes bébés
Ils ressemblent à leur maman
Dorés comme le blé
Au duvet chatoyant.

Un été, la cane attendait une nouvelle fois la venue de ses petits entourée de ses voisines, qui avaient aussi hâte qu'elle de les voir, et ils commencèrent à éclore un par un. Il y en avait six en tout. Et chacun fut accueilli avec des rires et des exclamations joyeuses.

Dans l'euphorie du moment, personne ne se rendit compte qu'il restait un œuf dans le nid. Tout à coup, on entendit la coquille se casser :

Crac, crac, crac !

Et le dernier caneton apparut.

Mais… quelle surprise ! Celui-ci ne ressemblait pas du tout à ses frères : il était très grand, très différent. Personne ne le dit, mais tous le trouvèrent laid et dégingandé. Et ils le regardèrent avec tellement de curiosité qu'il courut se blottir sous l'aile de sa maman. Elle le repoussa, honteuse. Elle n'avait jamais vu un caneton comme celui-là ! Il ne pouvait être à elle !

Ainsi commencèrent les malheurs du pauvre petit, qui était sensible et affectueux. Il se rendit vite compte que sa maman ne l'aimait pas, et ses frères non plus. Chaque fois qu'ils en avaient l'occasion, ils se moquaient de lui.

— Ce n'est pas un canard, ce gros pataud-là, disaient-ils.

Et ils l'imitaient en riant parce que sa démarche était très différente de la leur.

Alors il ne jouait avec personne. Il restait dans son coin, seul et triste. À mesure qu'il grandissait, la situation s'aggravait : il paraissait de plus en plus différent des autres. Enfin, las des insultes et du mépris, il se dit : « Il faut que je me sauve, ils ne m'aiment pas, ceux-là, ils n'arrêtent pas de se moquer de moi… »

Et le lendemain matin, très tôt, alors que tous dormaient encore, il s'évada de la basse-cour par un trou de la clôture et il s'en fut lentement, très lentement. Après un certain temps, il arriva devant une autre grange.

Le caneton avait à peine mis une patte dans la basse-cour quand la fermière le saisit entre ses bras, puis lui servit une abondante nourriture. « Enfin quelqu'un qui m'accepte ! » pensa-t-il. Mais il se trompait, comme il le comprit lorsque, un jour, il entendit la fermière dire à la cuisinière :

— On va le gaver comme il faut, celui-là, et quand il sera bien gros, on le fera rôtir avec des pommes de terre. Quel festin !

Le pauvre se mit à trembler et, de nouveau, il se dit : « Il faut que je me sauve, ils ne m'aiment pas, ceux-là, ils ne veulent que me manger… »

Pauvre caneton, mal lui en prit cette fois ! Parti en plein hiver, il dut se frayer un chemin dans la neige et la boue gelée, affronter la pluie et les vents déchaînés. Comble de malheur, il y avait dans les champs des chasseurs qui allaient sûrement lui tirer dessus s'ils le voyaient. Et pour la troisième fois, il se dit : « Il faut que je me sauve, ils ne m'aiment pas, ceux-là, ils ne veulent que me chasser… »

Au moment où commençaient à apparaître enfin les premiers bourgeons verts qui annonçaient le printemps, il arriva, plus mort que vif, au bord d'un étang où il s'arrêta pour souffler un peu. Et là, il vit un merveilleux spectacle : dans l'étang nageaient des oiseaux magnifiques et gracieux.

L'un d'eux s'approcha de la rive et l'appela :

— Tu veux nager ? Allez, viens !

Le pauvre n'en revenait pas. Les oiseaux qui s'ébattaient dans l'eau étaient si beaux, avec leur long cou et leurs plumes brillantes, qu'il se sentit plus laid et plus dégingandé que jamais.

— C'est que… je ne suis pas sûr de savoir nager, dit-il.

— Voyons donc ! Nous savons tous nager.

— Oh ! dit-il. Vous aussi, vous allez vous moquer de moi. C'est sûr que quand je plongerai dans l'eau, vous allez rire comme des fous.

— Mais qu'est-ce que tu racontes ? Pourquoi est-ce qu'on se moquerait de toi ? Et comment pourrais-tu ne pas savoir nager puisque tu es un cygne, tout comme nous ?

Enfin, le petit se dit : « Advienne que pourra ! »

Et il se jeta à l'eau. Il se rendit compte que c'était vrai : Il savait nager !

Un cygne plus âgé, très élégant, s'approcha et lui dit :

— Regarde-toi dans l'eau et tu verras comme tu es beau.

Et quand il prit son courage à deux pattes et contempla son reflet, il vit qu'on ne lui avait pas menti, qu'il était un cygne et que les canards l'avaient rejeté tout simplement parce qu'il n'était pas comme eux.

Il se promit alors que jamais il ne se moquerait de quelqu'un parce qu'il était différent.

La Belle et la Bête

Il était une fois un riche marchand, père de trois filles. Les deux plus âgées étaient méchantes et vaniteuses ; elles passaient leur temps à cancaner et à se pomponner en revêtant des robes luxueuses. Mais la cadette était la bonté même. Durant de longues heures, elle lisait ou chantait de douces mélodies en s'accompagnant à la harpe. De plus, elle était si jolie à regarder que tous l'appelaient «*la Belle*».

Si un jeune homme demandait la main de l'une des sœurs antipathiques, l'aînée disait en riant :

— Ce sera pour la semaine des quatre jeudis, puisque je n'épouserai qu'un prince !

Celle du milieu répliquait :

— Le jeudi ou un autre jour, seul un prince fera mon bonheur !

Mais la Belle était très gentille et rejetait tous les prétendants avec délicatesse :

Bon et courtois gentilhomme
Ne vous en déplaise
Se marier, c'est grave
Je veux réfléchir à mon aise.

Du jour au lendemain, le marchand fut ruiné. Quand la nouvelle se répandit, on cessa de demander en mariage les filles aînées, puisque tous connaissaient leur mauvais caractère et leurs ambitions et qu'on n'aimait, chez elles, que la fortune du père. Évidemment, il n'en fut pas ainsi avec la Belle, admirée de tous.

Au bout d'un certain temps, le marchand entendit parler d'une affaire qui pouvait lui rendre la fortune et son confort d'autrefois, et il décida de tenter le coup. Lorsqu'il dit au revoir à ses filles, les deux plus âgées en profitèrent pour exiger des robes et des bijoux. La Belle, elle, dit simplement :

— Père, je serai heureuse si tu reviens bien vite et que tu m'apportes une rose.

Mais le père n'eut pas de chance et, accablé, il entreprit le voyage de retour. Il traversait un bois très dense lorsqu'il fut surpris par un terrible orage. Pris de court et effrayé, le pauvre homme ne sut que faire. Tout à coup, il entrevit une lumière au loin et se mit en marche.

Il arriva enfin à un énorme château, apparemment abandonné, car quand il y entra, il ne vit personne. Épuisé, affamé, il trouva le garde-manger, et il apaisa sa faim et sa soif en se disant qu'étant donné sa pénible situation, on lui pardonnerait son audace. Puis, il se dirigea vers une chambre luxueuse et se laissa tomber dans le lit, décidé à refaire ses forces.

Le lendemain matin, à son réveil, quelle ne fut pas sa stupéfaction lorsque, à côté de lui, il vit une table chargée de mets et, un peu plus loin, plié avec soin, un élégant habit, exactement à sa taille ! Il mangea avec appétit avant de troquer ses vêtements en lambeaux contre les neufs. Ce faisant, il se disait : « Quelle générosité, mais que de mystères ! Je vais devoir revenir montrer ma gratitude en offrant un joli cadeau au maître de céans. »

Il allait enfourcher sa monture quand il vit une plate-bande de jolies roses. Mais au moment où il se penchait pour en cueillir une, il entendit un horrible rugissement :

— C'est ainsi que tu récompenses mon hospitalité ? En volant mes roses ? Tu es un homme mort !

Le marchand se retourna en tremblant comme une feuille et se trouva face à face avec un être terrifiant, le maître du château. Tombant à genoux, il le supplia de lui permettre d'aller dire adieu à ses filles avant de mourir.

— Grrr... grogna la Bête, très bien, mais avant le coucher du soleil, tu devras revenir payer ta dette ou m'envoyer l'une de tes filles.

Le monstre agita ses griffes, **clac, clac!** Et le marchand se retrouva chez lui en un clin d'œil. Dès qu'il eut raconté son aventure à ses filles, la Belle s'offrit :

— Sans cette rose, dit-elle, rien de tout cela ne se serait passé ; c'est donc moi qui dois y aller à ta place.

Alors que le père se récriait, les sœurs aînées, ravies de l'aubaine, puisqu'elles enviaient leur cadette, l'approuvèrent :

— Bien sûr, tu dois y aller, toi. Ne t'inquiète pas, nous nous occuperons de papa!

Le père, résigné, la laissa partir dans l'espoir que la Bête s'apitoierait devant tant de beauté et de bonté.

Dès que l'étrange maître du château vit la jeune femme, il en tomba éperdument amoureux et lui dit :

— Tu ne rentreras jamais chez toi !

Puis le monstre sembla se repentir et offrit à la Belle un miroir magique dans lequel elle pourrait voir sa famille chaque fois qu'elle en aurait envie.

— Considère-toi comme mon invitée, balbutia-t-il en guise d'excuses.

La Belle et la Bête passèrent de longues heures ensemble à bavarder avec animation. Ils devinrent de grands amis. La Belle se disait : « Il est charmant, quel dommage qu'il soit si affreux ! »

Après un certain temps, la Bête demanda à la Belle de l'épouser. Elle lui dit que c'était impossible puisqu'elle ne l'aimait pas. La Bête accueillit sa réponse avec tristesse, mais sans colère.

Un matin, la Belle vit dans le miroir que son père était très malade. Tout éplorée, elle demanda à la Bête la permission d'aller le voir. Touché par ses larmes, le monstre la laissa partir, mais il l'avertit :

— Je te donne une semaine, après quoi tu dois revenir.

Et de nouveau, avec un clac, clac ! de ses griffes, il renvoya la Belle chez elle.

Elle soigna et gâta son père, mais ses sœurs trichèrent sur les dates pour lui faire rompre la promesse faite à la Bête, certaines que celle-ci la punirait. Le huitième jour, la Belle se rendit compte de la ruse et fila à toute vitesse au château, fin prête à demander pardon à la Bête.

À sa grande surprise, le monstre se mourait de peine ! Croyant l'avoir perdu, la Belle tomba à genoux en pleurant :

Ne meurs pas, je t'en prie
Enfin, j'ai tout compris
Tu as réveillé mon amour
Et je te veux pour mari.

Paroles magiques : la Bête se réveilla, transformée en un jeune homme fringant ! Fou de joie, celui-ci lui raconta avoir été la victime d'un sort jeté par une méchante sorcière qui l'avait transformé en monstre jusqu'à ce que l'amour le libère.

La Belle et le prince se marièrent et vécurent heureux avec le père de la jeune fille. Et les sœurs mesquines eurent la punition qu'elles méritaient : raides et muettes comme des statues, elles envièrent le bonheur de leur sœur si belle et si bonne.

Le petit soldat de plomb

À Noël, un petit garçon reçut en cadeau une boîte de soldats de plomb. Il remarqua aussitôt qu'il manquait une jambe à l'un des soldats. Après avoir réfléchi un peu, il eut une bonne idée.

— Quand nous allons nous préparer pour une bataille, dit-il au pauvre soldat, je te donnerai un travail très important : tu seras la sentinelle chargée de voir si l'ennemi arrive, et je te posterai à la fenêtre.

Il l'y installa et se mit à jouer devant le feu de la grande cheminée du salon. Au-dessus du foyer, il y avait une tablette que sa mère avait enjolivée en y posant une petite danseuse qui était elle aussi de plomb et qui se tenait debout, très gracieuse et toute prête à danser.

Dès le premier regard, le soldat et la danseuse furent captivés l'un par l'autre. Pour lui, ce fut le coup de foudre, et chaque fois qu'il la voyait, il soupirait :

Cette danseuse, je la trouve si belle
Si ce n'était ma jambe
Je danserais bien avec elle !

Le soldat l'ignorait, mais la danseuse était tombée amoureuse de lui, elle aussi.
Chaque soir, quand sa mère l'appelait pour le souper, le garçon rangeait tous ses jouets dans un grand panier : les nouveaux, les vieux, ceux de sa petite sœur aussi… et il posait dessus le couvercle en osier.

Or, le panier était magique !

Quand toute la maisonnée s'était endormie, les jouets s'animaient et se mettaient à bavarder et à rire entre eux. C'est vrai, promis, juré ! Enfin, tous s'amusaient ainsi, sauf un. Lequel ? Un diable à ressort, qui surgissait sans préavis et faisait sursauter tout le monde. C'était un lutin malveillant qui espionnait dès que le panier s'ouvrait et qui avait compris que le soldat et la danseuse étaient amoureux.
Un jour, il menaça ainsi le soldat :
— Que je vous voie échanger un seul regard, la danseuse et toi ! Gare à vous ! Tu m'entends ?
La danseuse prit peur : « Oh, pensa-t-elle, quel horrible jaloux ! »
— Ne fais aucun cas de lui, dit le petit soldat le lendemain, je ne le laisserai pas te faire de mal.
Mais elle était effrayée et regardait moins souvent le petit soldat.

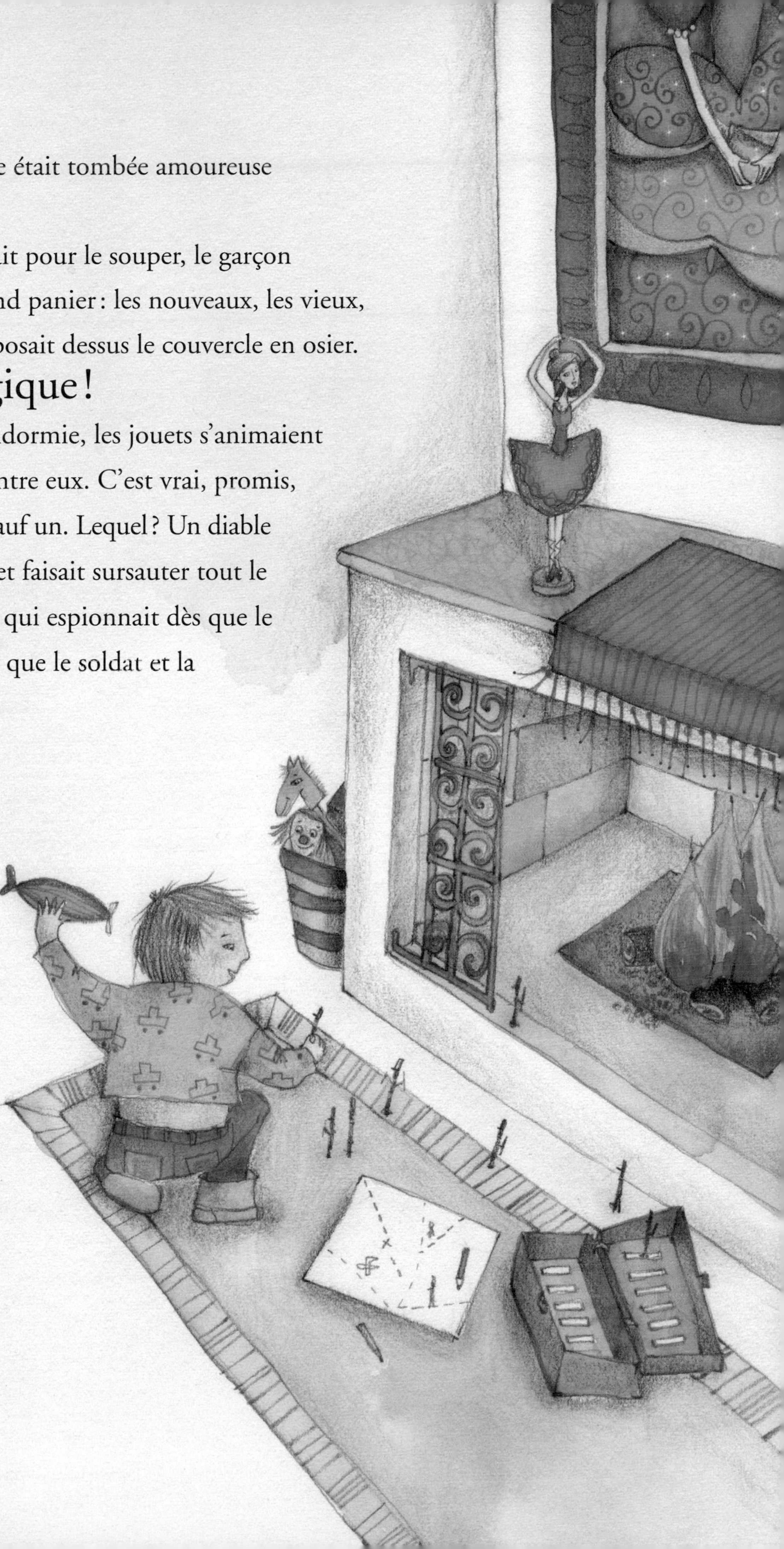

Un après-midi, le garçon sortit tous les soldats de plomb du panier et, comme toujours, installa celui à qui il manquait une jambe à la fenêtre en lui disant :

— Si tu vois arriver les troupes ennemies, préviens-moi immédiatement.

Plus tard, quand il eut fini de jouer, il rangea tous les jouets dans le panier, sauf le petit soldat.

Cette nuit-là, il se mit à pleuvoir et une forte rafale renversa le pauvre petit, qui tomba à la rue et aboutit dans une grande flaque d'eau. Il voulut appeler à l'aide, mais il n'avait pas de voix : il étouffait et crut se noyer.

Entre-temps, la pluie redoubla d'intensité et une énorme trombe d'eau l'emporta de flaque en flaque jusqu'à un égout qui menait directement à la mer. C'est là que sa course s'arrêta !

Mais le pauvre n'était pas encore au bout de ses peines. Il venait de plonger dans l'océan lorsqu'un poisson l'avala si vite que ni l'un ni l'autre ne se rendit compte de ce qui s'était passé.

Trois jours plus tard, l'orage se calma enfin et un bateau de pêche gagna la mer. Quand il hissa ses filets, le poisson qui avait avalé le petit soldat s'y trouvait en compagnie d'une multitude d'autres. Peu après, il aboutit au marché.

Pendant ce temps, le garçon était triste d'avoir perdu son soldat préféré, la danseuse pleurait son absence et le lutin, cet effronté, se vantait en s'étouffant de rire :

— C'est moi qui l'ai fait disparaître : je lui ai jeté un sort pour m'en débarrasser et maintenant je vais épouser la jolie danseuse.

Le même jour, la cuisinière de la maison sortit très tôt acheter un poisson pour le repas de midi. Elle choisit le plus beau et le plus gros. Et quand elle le coupa en deux pour le mettre au four, elle y trouva, par le plus grand des hasards, le petit soldat. Elle s'écria :

— Mais je te connais, toi !

Et quand le garçon revint de l'école, elle le lui donna en disant :

Regarde ce que j'ai trouvé, mon garçon,
Dans le ventre d'un poisson !

Comme le garçon était content ! Et l'après-midi, lorsqu'il se mit à jouer aux soldats de plomb, il dit :
— Il vaut mieux que tu fasses le guet depuis la tablette de la cheminée, toi ! Comme ça, tu ne te perdras plus…
Ainsi, les deux amoureux furent enfin réunis !

Mais, ce soir-là, le garçon dut ranger ses jouets très vite parce qu'il se faisait tard. Et deux choses bien tristes se produisirent : il oublia de ranger le soldat à qui il manquait une jambe et il omit de mettre le couvercle sur le panier.
À minuit, alors que tous dormaient dans la maison plongée dans l'obscurité, l'horrible lutin sortit du panier et se mit en colère en entendant le petit soldat et la danseuse, tout heureux, se déclarer leur amour. Furieux, il lança :
— Je vous avais pourtant prévenus ! On ne se joue pas de moi ! Vous allez voir !
Et, en jaillissant de sa boîte, il se poussa vers le haut et les renversa. Les pauvres tombèrent dans la cheminée, où des braises achevaient de se consumer, et comme ils étaient en plomb, ils se mirent à fondre peu à peu et à se défaire tout en se regardant tendrement dans les yeux.

Le matin suivant, quand la bonne ramassa les cendres refroidies, elle trouva le petit soldat et la danseuse transformés en un cœur, celui de leur grand amour partagé.

La Petite Sirène

Voici l'histoire de la Petite Sirène, qui naquit dans la mer, vécut sur la terre et s'envola vers le ciel.

Au plus profond de l'océan, le roi de la mer habitait avec ses cinq jolies filles dans un palais de corail. La plus jeune était la plus belle, en plus de posséder une voix merveilleuse. Quand elle chantait, les poissons applaudissaient à l'aide de leurs nageoires, les perles tintaient dans leurs coquillages et les vagues dansaient en rythme.

La Petite Sirène désirait ardemment connaître la terre et les êtres humains. Quand elle eut quinze ans, son père lui accorda son désir.

— C'est mon cadeau, dit-il.

Elle le remercia d'un baiser et son amie, la tortue, la transporta aussitôt à la surface. Elle grimpa sur un rocher qui dépassait et murmura :

— Comme c'est beau !

Et elle fit en chantant l'éloge du soleil et du ciel, qu'elle voyait pour la première fois. Sa joie redoubla lorsqu'elle aperçut un gracieux navire qui sillonnait les eaux. Et quand les marins jetèrent l'ancre, tout près de l'endroit où elle se trouvait, elle put enfin connaître les êtres humains, les entendre bavarder et rire… et elle eut très envie de se retrouver parmi eux!

Comme il était beau, le capitaine! C'était un prince, apparemment.
La nuit même, on organisa une fête en son honneur à bord du navire. Tous burent à sa santé en disant:
— Vive notre jeune capitaine!
La Petite Sirène observait la scène avec un mélange de joie et de peine: elle était tombée amoureuse du prince!
À bord du navire, l'animation fut telle que personne ne remarqua l'approche d'un terrible orage. Bientôt, la mer furieuse se mit à secouer rageusement le vaisseau.
Inquiète, la Petite Sirène avertit:

Aïe, il faut vous méfier,
La mer va se déchaîner!

Mais en vain. Qui aurait pu l'entendre par-dessus le tumulte de la houle?
Et alors, sous ses yeux horrifiés, le navire chavira avec tout son équipage.
Soudain, sur la crête d'une vague, la Petite Sirène aperçut le prince et, en un éclair, elle fut à ses côtés. À grand-peine, elle put le sauver et le déposer sur le rivage. Puis elle dut retourner au fond des mers; le temps accordé par son père s'était écoulé. Elle était sur le point de plonger lorsqu'elle entendit le jeune homme dire:
— Merci de m'avoir délivré, belle dame!
Quelle joie! Peut-être le prince tomberait-il amoureux d'elle à son tour.

De retour au palais de corail, elle garda pour elle le récit des événements. Elle se cacha entre les algues et pleura amèrement. Son amour était sans espoir! Une sirène ne pouvait vivre sur la terre ferme. Ou plutôt, il y avait un moyen… mais il était bien périlleux! Elle était si désespérée qu'elle décida quand même de tenter le coup. Elle alla voir la sorcière de l'abîme, qui lui dit:

— Je t'attendais! Tu veux troquer ta queue de sirène contre des jambes, non?

— Oui, murmura la Petite Sirène.

— C'est possible, mais si tu veux vivre sur la terre, il faut qu'un être humain tombe amoureux de toi. Et, bien sûr, tu ne pourras jamais revenir ici.

Et la sorcière poursuivit:

— En plus, mon envoûtement se vend très cher…

— Quel est le prix? Je paierai! répondit bravement la Petite Sirène.

— Tu seras muette alors, puisque le prix, c'est ta voix…

« Oh! » songea la pauvre petite. Mais elle dit, courageuse:

— C'est d'accord, enlève-la-moi!

La sorcière n'avait pas terminé:

— Et si ton bien-aimé en épouse une autre, tu disparaîtras pour toujours, transformée en écume de mer!

La Petite Sirène acquiesça et perdit connaissance.

À son réveil, elle se trouvait sur la rive où elle avait déposé le prince, et sa queue avait disparu. Soudain, elle entendit une voix. C'était justement celle du prince:

— N'aie pas peur, tu es saine et sauve, dit-il. Qui es-tu et d'où viens-tu?

Mais elle ne put répondre: elle avait donné sa voix à la sorcière.

Le prince l'emmena au château pour la soigner. Et quand elle alla mieux, la Petite Sirène commença une nouvelle vie terrestre. Elle portait de jolies robes et de belles chaussures, elle se promenait en compagnie du prince héritier et elle assistait aux bals du palais. Il la traitait avec affection et ils devinrent bons amis. Un jour, il lui confessa qu'il était amoureux et qu'il se préparait à épouser une jolie dame.

La Petite Sirène fut si attristée par cette nouvelle que, cette nuit-là, elle se rendit au bord de la mer en espérant que ses sœurs entendraient son appel et lui viendraient en aide. Elles accoururent et lui dirent :

— Tu pourrais revenir, mais...

Elles hésitèrent avant de poursuivre :

— ... il faudrait tuer le prince et sa fiancée avec ce poignard, le jour de leurs noces.

Et elles lui montrèrent le poignard bien affilé que leur avait donné la sorcière. C'était le seul moyen de rompre l'enchantement.

La Petite Sirène prit l'arme sans rien promettre et, jusqu'au moment des noces, elle réfléchit à la conduite à adopter. Le jour fixé pour le mariage arriva. Le prince et sa bien-aimée organisèrent une fête à bord du navire royal et, naturellement, la Petite Sirène fut invitée.

Mais elle fut incapable de commettre un acte si cruel !

À la fin de la fête, très triste, elle s'approcha du bord du navire, prête à se transformer en écume. Mais à sa grande surprise, elle entendit des voix qui l'appelaient.

— Petite Sirène, Petite Sirène, viens, on te donne une autre chance…

Et, par magie, une rafale l'emporta dans les airs et un nuage blanc comme le coton l'enveloppa.

— Qu'est-ce qui se passe, qui êtes-vous ? demanda-t-elle, prenant conscience du même coup qu'elle avait recouvré sa voix.

— Nous sommes les fées de l'air, et notre mission est de rendre les êtres humains heureux.

La Petite Sirène leva le regard et vit le soleil radieux ; elle le baissa et vit la mer et le beau palais où elle était née. Ses yeux se remplirent de larmes, mais les fées la consolèrent :

— Tes larmes se transformeront en rosée et nourriront les fleurs de la terre.

Elle se remit à pleurer, mais cette fois, c'était de joie.

— Viens, insistèrent les fées. Nous voyagerons dans les airs, apportant consolation et amour à tous.

Et la Petite Sirène regarda une dernière fois la mer et la terre pour envoyer un baiser d'adieu à sa famille et au prince. Puis elle se prépara à s'envoler vers… Dieu savait où. Mais c'était sûrement un lieu merveilleux.

Le Petit Poucet

Il était une fois un couple de bûcherons si pauvres qu'ils pouvaient à peine nourrir leurs sept fils. Ils manquaient tellement de nourriture que le plus jeune, à sa naissance, n'était pas plus gros qu'un pouce, et on l'appelait le Petit Poucet.
Un jour, il ne resta plus rien à manger, même pas un petit bout de pain. Malheureux de voir leurs enfants affamés, les parents décidèrent alors de les abandonner dans la forêt.
« Peut-être qu'une personne compatissante les emmènera chez elle et leur donnera une vie meilleure », se disait le père. Mais à l'idée de cette séparation, la mère pleurait :

Mais que feront mes bébés ?
Qui, qui va les aimer ?

Et le père se lamentait :

Pauvres choux, maigres comme des clous
Et toujours avec une faim de loup.

Le Petit Poucet, qui les avait entendus, comprit qu'ils se préparaient à les laisser dans la forêt et sortit remplir ses poches de cailloux. Il avait beau être petit, personne n'était plus futé ni plus ingénieux que lui !
À mesure que la famille avançait dans la forêt, le Petit Poucet semait des cailloux derrière lui. Dans une clairière, les parents dirent à leurs fils de les attendre et s'en furent, bien tristes.
Les enfants obéirent, mais quand la nuit tomba et qu'ils se retrouvèrent seuls, ils se mirent à pleurnicher. Tous, sauf le Petit Poucet, qui les consola.

— Venez, je connais le chemin du retour, dit-il.
Et en suivant la piste de cailloux qu'il avait semés, ils arrivèrent sains et saufs chez eux. Là, ils restèrent derrière la porte, à écouter leurs parents.

Il se trouvait que les bûcherons venaient de vendre tant de bois et de recevoir tant d'argent qu'ils regrettaient beaucoup d'avoir abandonné leurs fils. Et ils se disaient qu'ils allaient partir les retrouver, lorsque les petits ouvrirent la porte et firent irruption dans la pièce en disant à l'unisson :
— Pas la peine, nous voici !

Quel bonheur ! Que de câlins, de bisous et de larmes de joie ! Et, avant tout, que de compliments au Petit Poucet, qui s'était montré si malin !

Mais peu de temps après, l'argent et la nourriture vinrent de nouveau à manquer et les parents se remirent à penser à abandonner leurs enfants dans la forêt. Cette fois, le Petit Poucet n'eut pas le temps de ramasser des cailloux ; il utilisa plutôt les dernières miettes de pain qu'il restait dans la maison pour marquer le chemin du retour.

Mais ce ne fut pas une très bonne idée !

La nuit venue, quand ses frères et lui voulurent suivre le chemin ainsi marqué, ils ne trouvèrent pas une seule miette. Les oiseaux les avaient toutes mangées.
Les enfants se mirent à errer à travers bois, à la recherche d'un abri. Après de longues heures de marche, ils virent une grande maison tout illuminée et ils se dirigèrent vers elle.
Mais, comble de malchance, c'était la maison d'un ogre, qui vivait là avec sa femme l'ogresse et leurs sept filles ogresses, des filles très hautaines qui portaient de petites couronnes d'or. Pauvres enfants ! Dès que l'ogre les vit, il se pourlécha les babines en criant :
— Superbe, de la nourriture fraîche !
Mais l'ogresse les prit en pitié et elle convainquit son mari de se contenter de la petite collation qu'elle lui avait préparée : deux cochons, trois agneaux et six poulets. Ainsi, il pourrait manger les garçons le lendemain. L'ogre ronchonna un peu, mais il finit par accepter.
L'ogresse coucha les garçons dans la chambre où dormaient ses filles et promit de les aider à s'évader le lendemain matin. Mais le Petit Poucet ne lui faisait pas confiance et, quand tous furent endormis, il échangea son bonnet de nuit et celui de ses frères contre les couronnes des petites ogresses.
Heureusement, d'ailleurs ! L'ogre se réveilla tôt, affamé, et alla dans la chambre, décidé à les manger sur-le-champ. Mais à cause de la ruse du Petit Poucet, il se trompa, et les frères filèrent au moment où il allait manger ses propres filles.

Lorsqu'il entendit les cris qu'elles poussaient, l'ogre, comprenant qu'il était tombé dans un piège, rugit :

— Grrr... Personne ne se moque de moi. Je l'ai dit mille fois : on ne joue pas avec la nourriture !

Il enleva ses savates et enfila ses bottes de sept lieues, qu'on appelait ainsi parce qu'il franchissait cette distance à chaque pas. Mais avec ou sans bottes, l'ogre était si lourd qu'il ne put rattraper les frères, qui volaient presque, tant ils avaient peur. Après un long chemin, fatigué, l'ogre s'allongea sous un arbre pour faire une sieste. Par le plus grand des hasards, les enfants, quelques instants plus tôt, s'étaient réfugiés dans les plus hautes branches de cet arbre.

Quand l'ogre se mit à ronfler, le Petit Poucet descendit et, sans le réveiller, lui enleva les bottes de sept lieues, qu'il chaussa lui-même. Comme elles étaient magiques, elles s'ajustèrent immédiatement à ses petits pieds et il put courir plus vite que le vent.

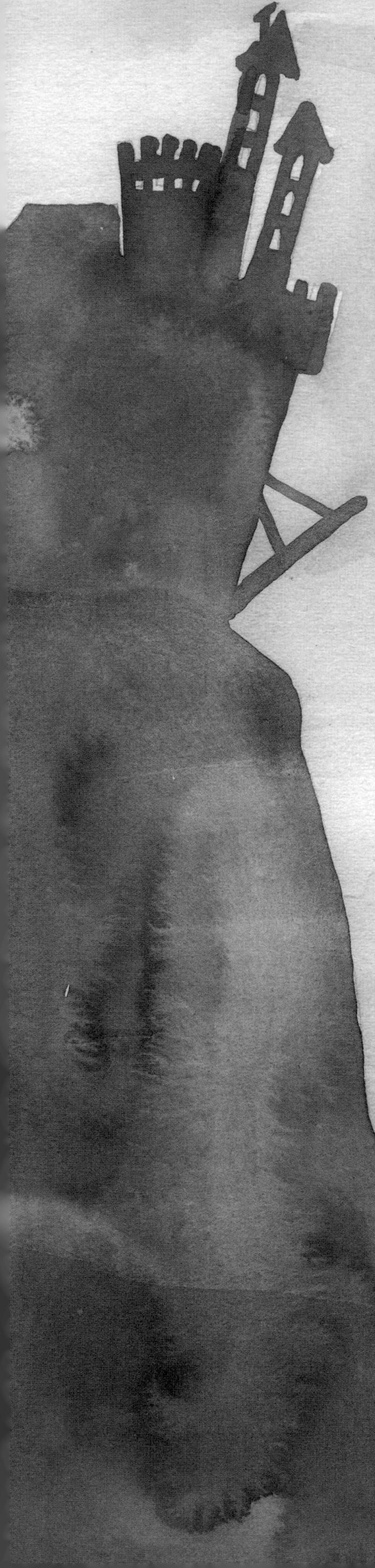

Il mit ses frères bien à l'abri à la maison, puis il dit à sa famille :

— Comptez sur moi !

Et il s'en fut voir le roi.

Le souverain livrait bataille à un royaume voisin et le Petit Poucet s'offrit pour apporter des messages aux troupes. En voyant à quel point il était minuscule, le roi se mit à rire :

— J'aimerais bien avoir un messager, mais, petit comme tu es, pourras-tu être à la hauteur ?

Le Petit Poucet répondit :

— Mettez-moi à l'épreuve et vous verrez.

« Je ne perds rien à essayer », se dit le roi. Et, à voix haute :

— Hmm… c'est d'accord.

Le petit fit tant et si bien, grâce aux bottes, que le roi remporta facilement la victoire et, naturellement, il décida de récompenser le Petit Poucet.

Il lui offrit un grand sac d'or et le nomma conseiller permanent. Et pour l'avoir toujours près de lui, il lui fit construire un palais près du sien avec des terres à cultiver.

C'est ainsi que le Petit Poucet, devenu « le duc des sept lieues », fut en mesure de pourvoir généreusement aux besoins de sa famille toute sa vie durant, servant le roi avec noblesse et bonté.

Et comme les ogres cherchent encore les bottes perdues, ils ne sortent pas beaucoup, mais selon leur habitude, ils donnent toujours d'énormes banquets où abondent cochons, agneaux et poulets.

Raiponce et le verger de pommes

Dans un royaume lointain vivait un couple qui, au terme de longues années, était sur le point d'avoir un bébé comme il en avait toujours rêvé. Avant la naissance, la maman vit par la fenêtre les belles pommes du verger voisin et, dès cet instant, n'eut envie d'aucun autre aliment.

Le futur papa lui en achetait par paniers entiers et elle, convaincue qu'elle allait avoir une fille, les mangeait en chantonnant :

Pomme, pomme
Toute rose et toute jolie
À ton image sera ma petite fille.

Elle mangea tant de pommes que, dans tous les marchés du royaume, elles vinrent bientôt à manquer. Il n'en restait que dans le verger voisin, propriété d'une sorcière que tous évitaient par peur de ses enchantements malveillants.

Mais la maman refusait de manger autre chose et, en la voyant s'affaiblir de jour en jour, son mari décida de jouer le tout pour le tout et de voler des pommes à la sorcière. Il se glissait furtivement dans le verger à la faveur de la nuit et en cueillant des pommes, il disait :

Ô petite pomme, petite pomme jolie
Bientôt naîtra ma belle petite fille.

Une nuit, il avait déjà rempli son panier de fruits quand il entendit un cri à glacer le sang :
— Crapule, voleur !
Le malheureux faillit tomber de l'arbre, mais il réussit à descendre sain et sauf. Il se mit à plaider sa cause :
— Je les paierai, je vous assure, ma femme attend un bébé et il n'y a que les pommes qui lui fassent envie. On n'en trouve plus nulle part et...
La sorcière le regarda avec férocité et une idée mauvaise lui traversa l'esprit :
— Très bien ! Je t'offre mes pommes, mais à une condition...
— Ce que vous voulez, balbutia l'homme en tremblant. Je ferai n'importe quoi, ô bonne dame miséricordieuse...
— ... que tu me donnes ton bébé tout de suite après sa naissance...
— ... mais, protesta le pauvre homme, ce n'est pas possible, ma femme et moi...
— ... ou je te servirai à l'instant une leçon si terrible que...
Pas besoin d'en dire plus : tous connaissaient la cruauté de la sorcière. L'homme, déjà résigné, n'eut d'autre choix que d'accepter.
Quand l'enfant naquit, les deux époux l'appelèrent Raiponce. Sa maman la confia à la sorcière en pleurant.
— Ma petite, ma toute petite fille des pommes.

La petite grandit et devint une jolie jeune fille. Quand elle marchait, sa longue chevelure lui faisait comme une grande cape de velours qui ondulait jusqu'à ses pieds. Jalouse de sa beauté, la sorcière l'enferma au fond du bois dans une haute tour sans porte ni escalier, où elle pouvait la surveiller et d'où Raiponce ne pouvait s'échapper. Quand elle allait la voir, la sorcière criait :
— Descends-moi ta tresse !
La jeune fille obéissait et la vilaine sorcière utilisait la tresse pour grimper jusqu'à la fenêtre de la tour.
Pour faire passer les longues heures solitaires, Raiponce chantait d'une voix mélodieuse :

Pauvre de moi, dans cette tour isolée
Des pommes, voilà ce que je voudrais manger.

On le voit, le goût des pommes était de famille !

Un beau jour, un prince fringant passait par là quand il entendit quelqu'un chanter d'une voix triste et douce. Intrigué, il suivit le son et arriva à l'endroit où Raiponce était prisonnière. Mais il eut beau chercher, il ne put trouver la porte d'entrée.

Logique, puisqu'il n'y en avait pas!

En revanche, il vit une belle jeune fille à la fenêtre et tomba aussitôt amoureux d'elle. À partir de ce moment, il alla la voir chaque jour.

Une nuit, incapable de dormir, il se dirigeait vers la tour lorsqu'il vit soudain un féroce dragon qui transportait sur ses ailes l'horrible geôlière de sa bien-aimée, et il l'entendit rugir:

— Descends-moi ta tresse!

C'est ainsi qu'il apprit le secret.

«Ah, se dit-il, c'est du gâteau, ça!»

Et il s'en fut dormir, très content.

Le matin, il alla à la tour et répéta les mots de la sorcière.

Raiponce laissa tomber sa tresse et, à sa grande stupéfaction, vit apparaître, en lieu et place de la sorcière, un jeune homme qui lui avoua son amour et lui promit de la libérer et d'en faire son épouse.

Elle eut peur, mais le prince lui dit:

— Fais-moi confiance, je t'apporterai une pelote de fil d'or pour que tu tricotes une échelle qui te permettra de descendre d'ici.

Encouragée, Raiponce le crut. Mais elle était si naïve que, lorsque la sorcière apparut et grimpa à sa tresse, elle dit sans réfléchir:

— Comme tu es lourde! Le prince, lui, ne tire pas ma tresse comme ça lorsqu'il monte…

La sorcière, qui avait tout compris, hurla :
— Ingrate, cruelle !
Et, furieuse, elle trancha la tresse. Puis elle fit entendre un sifflement strident et la jeune fille se trouva seule dans un désert perdu.
La sorcière suspendit la tresse à un crochet et la fit descendre.
Cette nuit-là, le prince monta et se trouva face à face avec la sorcière, qui lui lança avec un éclat de rire :
— Prince à la noix, tu ne sais pas à qui tu as affaire ! Tu ne la reverras jamais !
Désespéré, le jeune homme se jeta tête première par la fenêtre. Heureusement, il tomba sur une plante grimpante et eut la vie sauve. En revanche, la plante avait des épines qui lui crevèrent les yeux et l'aveuglèrent.

Dès ce jour, il n'eut d'autre pensée que de retrouver Raiponce, et il commença à errer de-ci de-là en s'informant d'elle un peu partout, mais personne ne la connaissait. Chaque jour, il s'éloignait un peu plus de la ville et s'enfonçait dans des contrées sauvages.
Entre-temps, la jeune fille aussi errait, jour et nuit, dans le désert où la sorcière l'avait abandonnée, à la recherche d'une ville. Jusqu'à ce que, un jour de chance, le prince entendît de nouveau la voix belle et triste. Dans un premier temps, il se dit : « Pas possible, je rêve ! »
Pourtant, il ne put s'empêcher d'appeler :
— Est-ce toi, ma bien-aimée ?
Raiponce crut d'abord à un mirage, mais elle avait tort : c'était lui. Et elle courut l'étreindre.
Le jeune homme pleura de joie et comme, c'est bien connu, les larmes d'amour sont magiques,
il recouvra la vue !
Ils retournèrent ensemble au royaume, où ils se marièrent et vécurent heureux pour toujours.
Et la sorcière ? On n'entendit plus parler d'elle, mais elle doit encore faire ses mauvais coups.
À moins qu'elle ne plante des pommiers ?...

Le brave petit tailleur

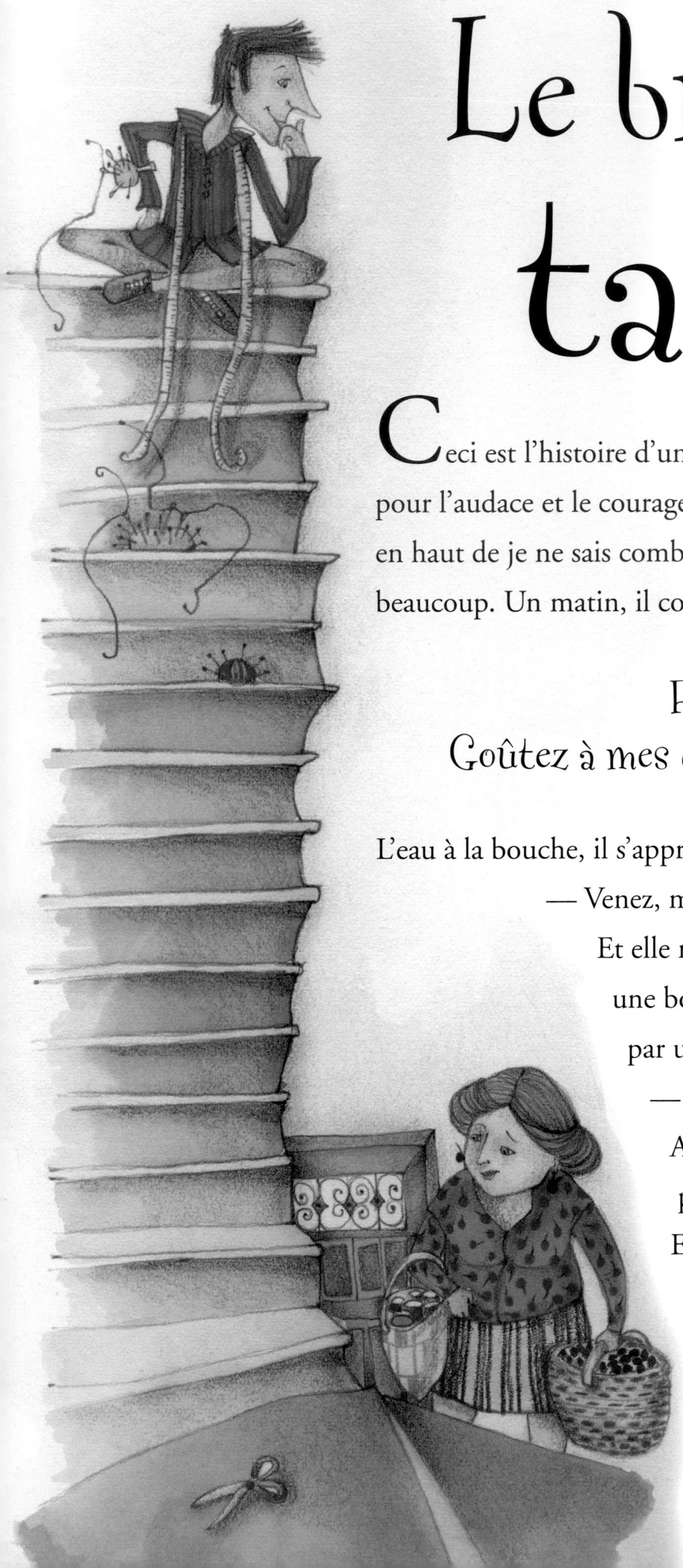

Ceci est l'histoire d'un jeune tailleur, petit et maigre, mais sans égal pour l'audace et le courage. Il habitait le dernier étage d'une maison, en haut de je ne sais combien de marches, mais il y en avait vraiment beaucoup. Un matin, il cousait diligemment lorsqu'il entendit crier :

Fraises, pêches et abricots
Goûtez à mes confitures maison !

L'eau à la bouche, il s'approcha de la fenêtre pour appeler la marchande :

— Venez, ma bonne dame, je veux acheter de vos confitures !

Et elle monta, chargée de ses lourds paniers, sûre de faire une bonne affaire. Le jeune homme ouvrit les pots, un par un, et après les avoir tous reniflés, il dit :

— Mettez-moi trois cuillerées de confiture de fraises.

Alors la femme s'énerva. Se donner tant de mal pour vendre trois misérables petites cuillerées ! Elle le servit de mauvaise grâce et s'en fut en maugréant.

Le tailleur étala de la confiture sur un bout de pain, qu'il laissa sur la table pour se régaler quand il aurait fini de travailler. Mais, entre-temps, l'odeur alléchante attira toutes les mouches des environs, qui se jetèrent sur la tartine.

Zzzzzzzz, zzzzzzzz, entendit le petit tailleur, et il comprit qu'il ne resterait bientôt plus rien de son petit-déjeuner. Il prit un chiffon et pif, paf! il frappa le nuage de mouches. Beaucoup s'envolèrent, mais sept d'entre elles tombèrent raides mortes sur le sol.

— Ouais, ouais, je suis un champion! Et quel courage! s'écria-t-il, tout fier.

Et il se fit aussitôt une ceinture sur laquelle il broda en grosses lettres:

« Sept d'un seul coup. »

Puis il noua la ceinture à sa taille et sortit l'étrenner.

« Un homme qui peut en tuer sept d'un coup, se dit-il, ne peut rester enfermé dans son atelier; il lui faut étaler son courage à la vue de tous et partir chercher fortune! »

Avant de s'en aller, il prit un bout de fromage dans le garde-manger et le glissa dans une poche. Il saisit un oiseau qui se trouvait dans sa cage et le mit dans l'autre poche. En se promenant par la ville, il montrait la ceinture à tous ceux qu'il croisait et leur disait, tout fier:

— Sept d'un coup! Qu'est-ce que tu en dis?

— Impressionnant, lui répondait-on, croyant qu'il s'agissait de sept hommes. Comme tu es courageux!

Ravi, le tailleur poursuivit son chemin jusqu'à une forêt dans laquelle il s'enfonça. Le soleil était déjà très haut dans le ciel lorsqu'il arriva face à face avec un géant. Sans s'émouvoir le moins du monde, il lui dit :

— Eh, l'ami ! Sept d'un coup, tu en serais capable, toi ?

Et il lui montra la ceinture.

— Bof, dit le géant, menteur, minable, gringalet, va !

— Voyons qui, de nous deux, est le plus fort ! lui dit le tailleur.

Le colosse le regarda de haut, et encore il dut se pencher beaucoup pour voir le tailleur, parce qu'il était cinq fois plus grand que lui. En riant, il ramassa une pierre et la serra si fort qu'il en fit sortir de l'eau.

— Essaie d'en faire autant, ordonna-t-il.

Le jeune homme, vif comme pas un, tira le bout de fromage de sa poche et le pressa de façon à en faire couler du petit-lait.

— Alors, tu vois ! J'ai pu t'égaler, oui ou non ?

— Hmm, on verra, ce n'est encore rien ! répondit le géant, fort surpris.

Et il prit une nouvelle pierre et la lança si haut qu'elle tomba dans la rivière, de l'autre côté de la forêt.

Mais le futé petit tailleur tira de son autre poche l'oiseau, qu'il lança dans les airs. L'oiseau, très content de se trouver en liberté, s'envola très loin et on n'entendit aucun bruit de chute.

— Tu vois, se vanta le tailleur, ta pierre est tombée dans la rivière, mais personne ne sait où est rendue la mienne.

Le géant, un peu irrité, montra un énorme chêne déraciné et mit le tailleur au défi :
— Aide-moi à le transporter puisque tu es si fort.
— Entendu ! Prends le tronc, toi, et moi je me charge de la cime. Avec toutes les branches, elle est bien plus lourde.
Le géant ouvrit la marche en portant le tronc. Il ne pouvait se retourner et le tailleur en profita pour monter sur une branche et se laisser conduire en sifflant. Ainsi, le gros homme transportait tout le poids. Après un moment, il s'arrêta en grondant :
— Ouf, je n'en peux plus, je dois souffler un peu.
Le petit tailleur, qui avait sauté de la branche, dit :
— Alors, tu t'avoues vaincu ? Tu admets que je suis le plus fort ?
Qu'est-ce qu'il se fâcha, le géant ! Mais il ne dit rien et les deux suivirent leur chemin jusqu'à un autre arbre, celui-ci bien debout et chargé de cerises. Voyant que le petit tailleur les trouvait appétissantes, le géant lui tendit un piège.

Il prit la cime de l'arbre et l'inclina jusque devant le petit tailleur. Puis, au moment où le garçon s'apprêtait à cueillir les fruits, il la lâcha. Elle se redressa d'un coup sec, et le petit tailleur vola dans les airs et se retrouva tout en haut du cerisier.

— Enfin ! soupira le géant.

Et il se moqua du jeune homme :

— Tu ne peux même pas retenir une petite branche, espèce de mollasson !

— Pas capable, moi ? Puisque je suis monté exprès... Pourquoi ne sautes-tu pas jusqu'en haut, toi aussi ?

Le géant s'y essaya, mais, comme il était très lourd, il se prit un pied dans les branches et resta là, accroché.

Au même moment, le carrosse royal vint à passer et, sur les ordres du roi, s'arrêta.

— Qu'est-ce qui se passe ici ? demanda le souverain.

— Rien d'important, Majesté, répondit le petit tailleur. J'ai capturé ce géant, c'est tout.

— Oh ! dit le roi. Il y a longtemps que cette brute terrorise mes sujets et j'ai promis de récompenser quiconque l'attraperait.

Quand le petit tailleur alla chercher la bourse de la récompense, remplie de pièces d'or, la princesse voulut connaître le brave homme qui les avait libérés du géant. Et entre les deux jeunes gens, ce fut le coup de foudre. Ils se marièrent peu après avec la bénédiction du roi, fier d'avoir un gendre si courageux.

La Reine des neiges

Un jour qu'il s'ennuyait, un lutin espiègle décida de s'amuser en inventant un miroir magique.
Il le confectionna à l'aide d'un cristal rare qui enlaidissait tout ce qui était beau. Même les bons sentiments et les bonnes pensées des gens qui s'y miraient devenaient mauvais. Après avoir joué un moment avec le miroir, le lutin le lança dans les airs. Lorsqu'il retomba, il se fracassa en mille morceaux pas plus gros que des grains de poussière, qui se répandirent un peu partout.

Kay et Gerda étaient de grands amis qui jouaient toujours ensemble : ils faisaient des boules de neige en hiver et pêchaient dans la rivière en été.
Le jour où le lutin fracassa son miroir, ils faisaient voler un cerf-volant et Kay reçut un petit fragment de verre dans un œil. Il s'emporta immédiatement contre Gerda, donna un coup de pied à un chien qui passait par là et eut l'impression que tout ce qui lui avait plu jusque-là, tout ce qu'il avait aimé, était affreux.
Il cessa de jouer avec Gerda. Quand commença l'hiver, il sortit seul, un matin, pour profiter de la neige.

Au moment où Kay se lançait, il vit passer un grand traîneau luxueux et il céda à la tentation d'y atteler le sien.
Il ne le savait pas, mais ce traîneau appartenait à la Reine des neiges, qui l'emporta très loin, vers des terres inconnues et glacées.
Ils traversèrent des forêts, des montagnes, des rivières, avant de s'immobiliser devant un château de glace. La Reine des neiges souhaita la bienvenue à Kay en lui donnant un baiser sur le front. Il sentit un frisson parcourir tout son corps et, l'instant d'après, il avait oublié qui il était et d'où il venait : le baiser de la Reine des neiges lui avait glacé le cœur.

Les jours passèrent et personne n'avait de ses nouvelles. On le chercha partout et lorsque toutes les recherches se révélèrent infructueuses, on pensa qu'il s'était noyé dans la rivière. Mais son amie Gerda ne s'y résignait pas et elle continua de demander à la terre, aux oiseaux, aux fleurs et même à ses jouets s'ils l'avaient vu. Hélas,
personne ne savait rien !

À son anniversaire, Gerda reçut des chaussures neuves, les plus jolies qu'elle ait jamais eues. Elle alla au bord de la rivière et les y jeta en disant :

Prends mes chaussures, rivière déchaînée,
Et que revienne vers moi mon ami bien-aimé.

Mais le courant repoussa les chaussures vers le rivage. La petite se dit alors qu'il fallait les lancer plus loin et elle monta dans un bateau, décidée à le faire. Cependant, un tourbillon l'emporta vers l'autre rive, où se trouvait une grande maison solitaire.
Gerda frappa à la porte et une vieille femme lui ouvrit. C'était une enchanteresse qui s'ennuyait toute seule. Quand elle vit la petite, elle lui fit boire une potion de sa fabrication pour la retenir. Aussitôt, Gerda oublia ses projets et resta chez la femme.

Un jour, tandis qu'elle jouait dans le jardin enchanté de la sorcière, le parfum d'une rose lui rafraîchit la mémoire. Soudain, tous ses souvenirs lui revinrent et elle s'évada, résolue à poursuivre ses recherches. Elle passa devant un arbre où était perché un rossignol à qui elle raconta son histoire. Le gentil oiseau eut envie de l'aider et il lui dit :
— La princesse s'est mariée avec un étranger, il n'y a pas si longtemps ; ne s'agirait-il pas de ton ami ?
Gerda, toute réjouie, remercia l'oiseau et se dirigea vers le palais.

Elle n'y trouva pas Kay, mais elle vit le prince et la princesse. Mis au courant de son histoire, ils lui dirent gentiment :
— Tu ne peux pas continuer à pied, ce serait trop long. Prends notre carrosse d'or et notre cheval qui file comme le vent.

Gerda s'enfonça dans la forêt, mais le carrosse éblouissant attira l'attention de quelques brigands qui se cachaient par là. Ils l'attaquèrent, l'emprisonnèrent dans leur grotte et lui prirent le carrosse d'or et le cheval.
Or, les bandits avaient une fille. Ravie d'avoir de la compagnie, celle-ci accueillit Gerda si gentiment qu'elle décida de lui confier son histoire. Pour l'aider, la fille des brigands dit :
— Parles-en à mon renne.
Et elle la conduisit à un appentis où se trouvait un énorme renne à qui elles demandèrent s'il avait vu Kay.

— Au début de l’hiver, j’ai vu passer le traîneau de la Reine des neiges, répondit l’animal, et, accroché derrière, un garçon monté sur un traîneau plus petit. Si c’est ton ami, il doit être en Laponie depuis un bon moment déjà à l’heure qu’il est.
Et le renne, qui était très malin, poursuivit :
— Je peux t’y amener, je connais le chemin puisque je suis né là-bas.
Gerda, déjà plus heureuse, remercia la fille et s’en fut en Laponie, à dos de renne.

Quand ils arrivèrent, le renne lui montra le château de la Reine des neiges.
Mais lorsqu’elle voulut franchir la muraille qui l’entourait, une armée de flocons de neige l’attaqua et la repoussa.
Fatiguée, elle se mit à pleurer, et parce qu’il s’agissait de larmes de tendresse et d’affection pour son ami, il jaillit de sa bouche un souffle chaud qui fit fondre tous les flocons un par un. Ils se transformèrent en un nuage de papillons blancs qui l’accompagnèrent jusqu’à la porte du château.

Gerda trouva son ami dans une salle du palais, mais il la regarda sans la reconnaître. Et elle eut tant de peine qu'elle se remit à pleurer, découragée à l'idée d'avoir fait pour rien ce long et pénible voyage.

Lorsqu'elle embrassa son ami avant de partir, ses larmes tombèrent sur la poitrine de Kay et firent fondre la glace qui recouvrait son cœur. Ému, le jeune garçon pleura lui aussi. Les larmes qu'il versa lui nettoyèrent les yeux et délogèrent le petit bout de miroir.
Dès lors, tout redevint aussi beau qu'avant.
Kay reconnut son amie et l'embrassa avec joie et affection.
Soulagés à la pensée que leurs épreuves étaient terminées, les deux enfants décidèrent de rentrer chez eux, plus heureux que jamais.

Les Musiciens de Brême

Devenu trop vieux pour continuer à tirer les lourdes charges dans la ferme où il avait travaillé toute sa vie, un âne entendit un jour son maître dire :

— Cet animal ne sert plus à rien, je vais le sacrifier. Avec l'argent que je tirerai de la vente de sa peau, je pourrai peut-être m'en acheter un plus jeune.

Indigné, l'âne se dit : « Quel ingrat ! Au lieu de m'accorder un repos bien mérité après tant d'efforts, il veut me tuer. » Et il continua à réfléchir : « Je n'ai jamais voulu travailler ici ; ma vraie vocation, c'est la musique. Quand tout le monde dormira, je me sauverai et j'irai à Brême. »

Et voilà ce qu'il fit. Au bout d'un moment, il arriva dans un lieu où un hurlement mécontent se faisait entendre. Il venait d'un magnifique lévrier qui se trouvait en bordure du sentier.

— Qu'est-ce qui t'arrive, le chien ? demanda l'âne. Tu as besoin d'aide ?

— Ouah, fit le lévrier. Je suis très vieux et je ne cours plus aussi vite qu'avant. Mon maître me frappe sans cesse et il ne m'emmène plus à la chasse. Alors j'ai décidé de me sauver, mais je ne sais pas comment faire pour gagner ma vie.

— Nous sommes deux dans le même cas, dit l'âne, car il m'arrive quelque chose de semblable. Mais moi, je sais ce que je vais faire : je serai musicien à Brême. Viens avec moi ; je jouerai de la trompette et toi du tambour. Qu'en dis-tu ?

Le lévrier accepta avec joie de l'accompagner.
Tous deux arrivèrent dans un autre lieu où ils entendirent un gémissement.
C'était une jolie chatte qui regardait tristement la lune.
— Qu'est-ce qui t'arrive, petite chatte ? demandèrent-ils. Pourquoi te plains-tu ?
— Miaou, fit la chatte. Je me plains parce que je suis très vieille et que mes dents et mes griffes ne sont plus ce qu'elles étaient. Au lieu d'attraper les souris, j'aime rester au chaud près de l'âtre. Et là, mon maître veut se débarrasser de moi. Ce soir même, j'ai décidé de me sauver, mais je ne sais pas comment faire pour gagner ma vie.
— Nous sommes trois alors ! lui dirent les deux autres. Il nous arrive la même chose et nous avons décidé d'être musiciens à Brême. Veux-tu te joindre à nous ? Tu pourras chanter des sérénades, qu'en dis-tu ?
La chatte accepta de bonne grâce d'être des leurs.
C'est ainsi que le trio arriva dans une ferme où chantait un coq, perché sur le toit. Mais en fait, il chantait moins qu'il ne s'égosillait.
— Qu'est-ce qui t'arrive, le coq ? lui demandèrent-ils. Pourquoi es-tu si fâché ?
— Cocorico, j'annonce le beau temps, fit-il, mais les temps sont bien mauvais pour moi. Ce matin, ma maîtresse a dit à la cuisinière de faire de moi une soupe pour dimanche prochain.
— Nous sommes quatre alors ! dirent-ils, et nous serons le quatuor de Brême. Tu pourrais chanter tous les matins, qu'en dis-tu ?
Le coq se joignit à eux, bien content.

Et ils poursuivirent leur route jusqu'à ce que, las, ils décident de se reposer dans la forêt. L'âne s'appuya au tronc d'un gros chêne, prêt à dormir debout. Le chien s'allongea sous le feuillage fourni. La chatte se pelotonna sur une branche basse et le coq vola jusqu'à la plus haute. Sur le point de s'endormir, il vit une lumière qui brillait. Il dit alors à ses compagnons de voyage :
— Je vois une cabane tout près d'ici ! J'ai faim !
— Mmm, dit l'âne. Un peu d'herbe fraîche ne me ferait pas de tort !
— Et quelques os ! ajouta le chien. Quel délice !
— Ou un petit bol de lait, fit la chatte en se pourléchant les babines.
Et ils décidèrent de continuer leur chemin.

Quand ils arrivèrent, l'âne s'approcha d'une fenêtre et dit :
— On ne pouvait mieux tomber ! Quelques voleurs sont sur le point de commencer un festin et il y a des plats et des boissons pour tous les goûts !

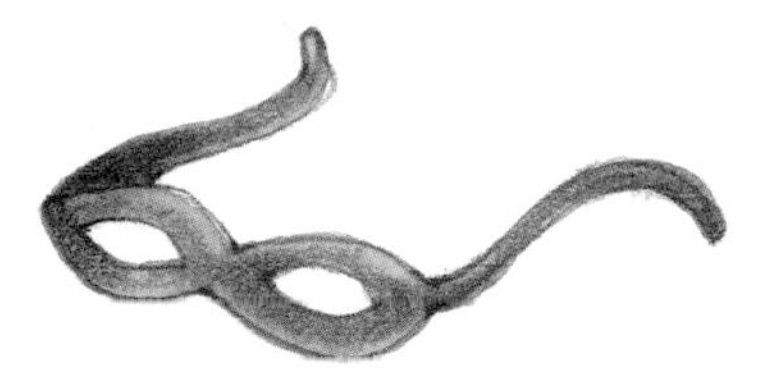

Alors l'âne appuya ses pattes de devant contre la fenêtre, le chien monta sur son dos, la chatte monta sur le chien et le coq se posa sur elle. L'âne donna un petit coup de sabot et ils entamèrent leur premier numéro.

L'âne se mit à braire, le chien aboya,
la chatte miaula et le coq fit : cocorico !

Les voleurs, effrayés, s'enfuirent aussitôt en criant :
— Ce sont les fantômes de la forêt !
Les amis n'eurent qu'à s'asseoir à table et à s'en mettre plein la panse. Quand ils furent bien repus, ils éteignirent la lumière et se préparèrent à dormir. Jamais ils n'avaient connu un tel confort. L'âne s'installa dehors, où il trouva un tas de paille, le chien derrière la porte, la chatte près du foyer et le coq, sur une poutre du plafond.

À minuit, lorsque les voleurs virent, depuis leur cachette, que la cabane était plongée dans l'obscurité, le chef de la bande envoya un homme vérifier si le danger était passé. Le voleur s'approcha en silence. Comme tout était tranquille, il entra dans la cabane et vit dans le noir les yeux ardents de la chatte, qu'il prit pour des braises. Il s'approcha pour se réchauffer les mains et la chatte se jeta sur lui et lui griffa le visage. Effrayé, il voulut s'enfuir, mais sur le seuil de la porte, il trébucha sur le chien, qui lui mordit le pied. Quand il sortit sur le patio, l'âne lui fit une terrible ruade. Et tout ce raffut éveilla le coq, qui battit des ailes en criant :

Co... co... ri... co... !

C'en fut trop pour cette canaille de voleur ! Plus vif que le vent, il retourna à la cachette de la bande et raconta en haletant :
— Cette maison appartient à une horrible sorcière qui m'a attaqué avec ses ongles bien affûtés ; le gardien de la porte m'a poignardé le pied ; sur le patio dort un monstre qui m'a frappé avec son gourdin ; pendant tout ce temps-là, un oiseau de mauvais augure hurlait.
Il va sans dire que les voleurs n'eurent pas le courage de revenir.
Et les quatre amis continuèrent leur chemin jusqu'à la ville où, comme prévu, ils devinrent de bons musiciens. Et encore aujourd'hui, le quatuor s'y produit. Tous connaissent son nom de scène : Les Musiciens de Brême.

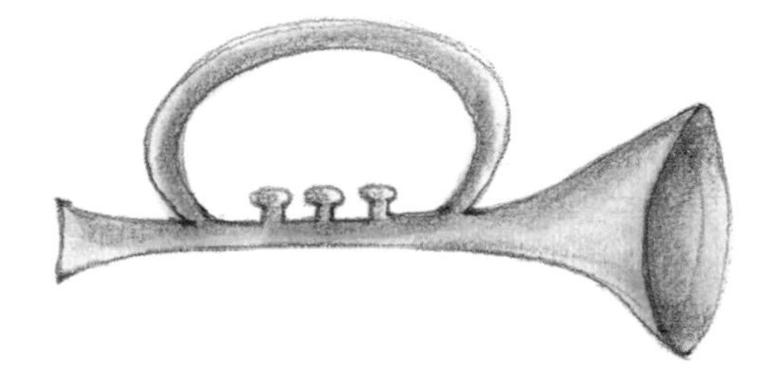

Les fées

Il était une fois une veuve qui avait deux filles on ne peut plus différentes. L'aînée ressemblait beaucoup à sa mère, de qui elle tenait son caractère désagréable, sa mauvaise humeur et sa cupidité. En plus, elle était paresseuse et plutôt laide. La plus jeune, en revanche, était très belle, mais, mieux encore, elle était bonne : elle débordait de gentillesse et d'amabilité envers tous, elle avait un tempérament serein, elle travaillait fort et se montrait généreuse.

La mère préférait l'aînée, avec qui elle s'entendait bien, et toutes deux profitaient de la gentillesse de la cadette en la faisant travailler toute la journée comme si elle était leur servante. Elles ne lui permettaient même pas de manger avec elles à table. Et elles obligeaient la pauvre fille à aller, plusieurs fois par jour, puiser de l'eau à une fontaine éloignée, chargée d'une énorme cruche qui, une fois remplie, pesait très lourd. Un jour, la jeune fille était à côté de la fontaine quand une vieille déguenillée s'approcha et lui dit :

— J'ai très soif, me donnerais-tu un peu d'eau ?

La jeune fille lui répondit en souriant :

— Bien sûr ! Je vous sers tout de suite.

Et elle remplit sa cruche de l'eau cristalline de la fontaine avant de la tendre à la vieille.

— Prenez-en tant que vous voudrez, ma bonne dame.

En voyant la gentillesse de la jeune fille, la vieille, en réalité une fée déguisée, but et lui dit :

Ton coeur est si bon
Que tu mérites un don.

Et elle ajouta:
— À chaque parole que tu diras, il te sortira de la bouche de jolies fleurs et des pierres précieuses.
La jeune fille s'étonna, mais elle prit gentiment congé de la vieille, sans lui poser de questions.

Comme elle s'était un peu attardée à cause de la rencontre, elle arriva tard à la maison et évidemment, sa mère la gronda.
— Oh, dit la pauvre fille, pardon, mère.
Et quand elle voulut expliquer les raisons de son retard, plusieurs perles, deux ou trois diamants et un bouquet de roses jaillirent de sa bouche.
— Qu'est-ce qui se passe? demanda la mère, stupéfaite. Il te sort des pierres précieuses de la bouche maintenant? Comment est-ce possible, ma fille?
C'était la première fois qu'elle l'appelait « ma fille » et qu'elle lui parlait avec tendresse. Ravie, la jeune fille naïve lui expliqua la rencontre qu'elle avait faite près de la fontaine en lui répétant les paroles de la vieille.

— Ha! ha! fit la mère en se désintéressant aussitôt d'elle, voilà une aubaine dont il faut profiter!
Elle appela immédiatement l'aînée et lui ordonna d'aller chercher une carafe d'argent. Puis elle lui donna des instructions très précises:
— Tu vas tout droit à la fontaine et quand tu verras une vieille misérable, tu lui donneras de l'eau tant qu'elle en voudra, tu m'entends? Quelques diamants, ce serait bien, et si elle te donne en plus des perles et des émeraudes, tant mieux!
— Aller à la fontaine, moi, comme une vulgaire domestique? Jamais de la vie!
— C'est un ordre! Tu ne veux pas avoir un trésor comme ta sœur, toi aussi? Allez, en route!
Tout en maugréant, l'aînée s'en fut à la fontaine avec la carafe d'argent, le plus petit récipient qu'elle ait pu trouver, pour ne pas avoir à transporter une charge trop lourde. Quand elle arriva, la fée l'attendait, mais cette fois, elle était habillée en princesse. Elle déclara avoir soif et réclama de l'eau.

La jeune fille ronchonna :

— Comme si je n'avais rien de mieux à faire, moi, que de donner à boire à tous les assoiffés de la terre !

Puis, se rappelant les ordres de sa mère, elle dit :

— Bon, très bien !

Elle remplit la carafe et la tendit :

— Tiens, voilà ! Tu peux boire directement à la carafe, mais attention, hein, elle est en argent !

— Tu n'es pas très aimable, tu ne trouves pas ? dit la fée après avoir bu. Et tu mérites le don que voici :

Ton coeur n'est pas bien bon
Mais tu l'auras, ton don !

Convaincue d'avoir reçu le même don que sa sœur, la jeune fille ne prit même pas la peine de dire au revoir. Elle rentra chez elle en courant. Et quand la mère la vit arriver, elle lui cria, pleine d'espoir :

— Raconte, ma fille ! Comment ça s'est passé ?

Elle avait à peine ouvert la bouche qu'il se mit à en sortir des crapauds, des couleuvres et des scorpions.

— Quelle horreur ! s'écria la mère. Voilà sûrement un mauvais coup de ta sœur ! Je vais la punir tout de suite, tu peux me croire !

Et, furieuse, elle partit à la recherche de sa cadette.

La pauvre fille n'eut d'autre solution que de se sauver pour éviter le châtiment de ces deux femmes vindicatives, et elle trouva refuge dans une forêt voisine. Par hasard, un prince qui revenait d'une partie de chasse passait par là, et son cœur sauta de joie dès qu'il vit la jolie jeune femme. Comme elle était triste et abattue, il lui demanda ce qui n'allait pas.

Tandis qu'elle lui racontait ses malheurs en pleurant, il put constater que des fleurs et des pierres précieuses sortaient de sa bouche.

Le prince tomba amoureux de la jeune fille et l'emmena au palais royal pour la présenter à son père. Et comme elle l'aimait en retour, ils se marièrent et vécurent heureux.

En revanche, l'autre fille et la mère, qui étaient si méchantes et désagréables, se grondaient et se disputaient pour des riens. Un jour, la fille s'en alla. Mais elle passa le reste de sa vie toute seule, parce que personne ne l'aimait.

Et personne ne voulait s'approcher d'une créature qui, dès qu'elle ouvrait la bouche, laissait échapper des crapauds, des couleuvres et, parfois, des scorpions.

Ali Baba et les quarante voleurs

Il était une fois un petit village où vivaient deux frères : Kassim, riche, paresseux et avide, et Ali Baba, pauvre, travailleur et généreux.

Heureusement, Luna, la domestique du bon frère, une femme débrouillarde et loyale, s'occupait bien de lui. Un jour, alors qu'Ali Baba coupait du bois dans la forêt, il entendit arriver au galop un groupe de cavaliers. Quand ils se rapprochèrent, il se rendit compte qu'ils n'étaient rien de moins que… quarante voleurs ! Effrayé, Ali Baba grimpa à un arbre. Il était en train de les observer lorsqu'il entendit le chef, posté devant une roche de la montagne, dire :

— Sésame, ouvre-toi !

À sa grande stupéfaction, l'immense roche roula de côté et laissa voir l'entrée d'une caverne. Puis il entendit :

— Sésame, ferme-toi !

Et la roche se remit en place.

Quand les voleurs sortirent, le chef employa les mêmes formules.

« Voilà donc la cachette où ils entreposent les trésors volés ! songea le bûcheron. Je me demande si j'arriverai à y entrer, moi aussi. » Il s'approcha et dit :

— Sésame, ouvre-toi !

Et la roche obéit.

Il avait vu juste : la caverne renfermait un trésor ! Des bijoux, de l'or, de l'argent et bien plus encore. Ali Baba remplit ses poches de pièces de monnaie et de pierres précieuses. Ensuite, il referma la porte au moyen des mots magiques, rentra chez lui en chantant et raconta tout à Luna.

Prudente, elle lui conseilla :

— N'en parle à personne. Nous dirons que tu as vendu beaucoup de bois.

Mais comme ils manquaient de tout, ils achetèrent plusieurs sacs de riz et des vêtements neufs. En plus, Ali Baba se procura deux mules jeunes et bien fortes. Kassim, qui aimait les ragots et passait la journée à surveiller la maison de son frère, eut vent de l'affaire et se présenta aussitôt chez Ali Baba. Comble de malchance, il arriva au moment où Ali Baba et Luna cachaient le trésor dans un creux du mur !

— Ha, ha ! dit-il. Explique-moi immédiatement où tu as trouvé tout ça.

Et il se mit à loucher à force de regarder un énorme rubis. Alors, Ali Baba fut obligé de tout lui raconter.

Le lendemain, Kassim se posta devant la roche et cria :

— Sésame, ouvre-toi !

Il entra dans la caverne, referma la porte derrière lui, et commença à remplir d'or et de pierres précieuses les cent sacs qu'il avait apportés. Mais il s'y attarda tellement qu'il oublia les paroles qu'il devait prononcer pour sortir.

— Pois chiche, ouvre-toi !

La roche resta en place.

— Ah non, ce n'était pas « pois chiche ». J'y suis : « Lentille, ouvre-toi ! » cria-t-il, un peu nerveux.

La roche ne bougea pas. Désespéré, il se mit à réciter le nom de toutes les graines et de tous les légumes qui lui venaient à l'esprit :

— Riz, maïs, fève…

Mais la roche demeurait immobile. Enfin elle s'ouvrit, mais uniquement parce que les voleurs étaient de retour ! Et quand ils surprirent Kassim dans leur cachette, ils lui assénèrent un grand coup et le laissèrent là, complètement étourdi.

Voyant que son frère ne revenait pas, Ali Baba, inquiet, partit à sa recherche. Il entra dans la caverne en utilisant les mots magiques et découvrit que ce qu'il craignait était arrivé. Il prit son frère dans ses bras et l'emmena. Luna dit à son maître :

— Ne dis rien à personne. Affirme que Kassim est en voyage.

Mais évidemment, lorsqu'ils revinrent à la caverne, les voleurs se rendirent compte que Kassim n'était plus là. Ils comprirent alors que quelqu'un d'autre connaissait leur secret. Furieux, le chef ordonna à un de ses hommes :

— Va tout de suite me le déterrer, ce fouineur !

Le voleur s'en fut au village et se mit adroitement à tirer des renseignements des villageois naïfs. Il demanda qui avait reçu une grosse somme d'argent récemment, et enfin quelqu'un lui répondit :

— Ali Baba a vendu beaucoup de bois et, avant-hier, il s'est acheté des vêtements neufs et des mules.

« Je le tiens, mon homme ! » pensa la canaille.

Et quand il sut où habitait Ali Baba, il peignit une croix sur la porte de sa maison.

Mais Luna, qui avait l'œil à tout, vit la croix. Et cette nuit-là, elle peignit la même sur toutes les portes du village.

Entre-temps, le voleur raconta tout à son chef et il fut décidé que sa bande et lui allaient éliminer Ali Baba le lendemain.

Mais, à leur grande surprise, ils trouvèrent une croix peinte sur toutes les portes sans exception! Laquelle était la bonne?

— Plus bête que ça, tu meurs! cria le chef des bandits, furieux.

Et il administra au fautif une claque magistrale. Puisqu'il ne pouvait se fier à ses acolytes, il se chargea lui-même de trouver la demeure d'Ali Baba. Il marqua sur la porte une croix si petite que personne d'autre ne la remarquerait.

Après, il raconta son plan à ses hommes.

— Je me déguiserai en vendeur d'huile et je transporterai trente-neuf jarres: l'une contiendra de l'huile et vous vous cacherez, bien armés, dans les autres.

Il se présenta ainsi chez Ali Baba et, en montrant ses chevaux chargés de jarres, lui demanda:

— Mon bon monsieur, puis-je me reposer chez vous avec mes chevaux?

— Qui êtes-vous? demanda Ali Baba à son tour.

— Je viens de loin pour vendre mon huile, dit l'homme, je suis fatigué et affamé…

— Entrez et reposez-vous! offrit Ali Baba.

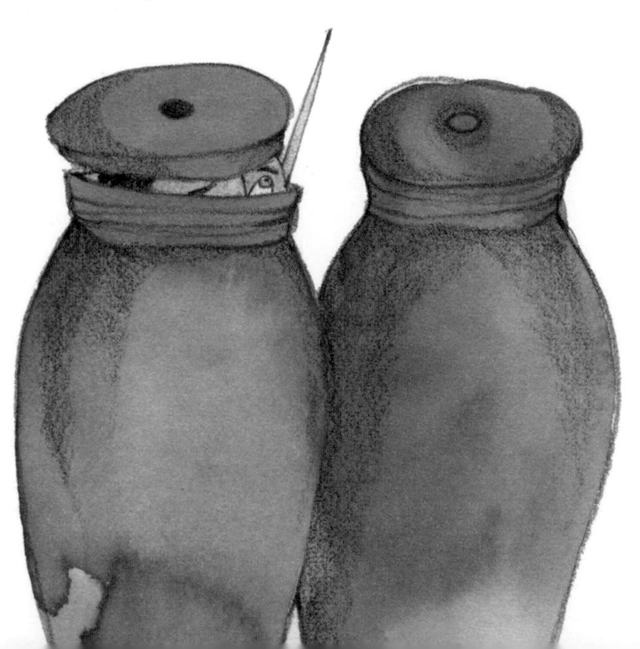

Ils laissèrent les jarres sur le patio et s'assirent pour manger.

Lorsque la nuit tomba, Luna voulut allumer les lampes, mais elle se rendit compte qu'elle manquait d'huile. Elle se dit: « Au lieu de déranger mon maître, je vais en puiser un peu dans une de ces jarres où il y en a en abondance. »

Elle prit une grosse louche de cuivre et alla ouvrir la première jarre. Le voleur qui s'y trouvait, croyant que c'était son chef qui venait le chercher, sortit la tête.

— Quelle drôle d'huile! dit Luna, et elle assomma le voleur d'un coup de louche.

Un peu troublée, elle ouvrit une autre jarre:

— Tiens, une huile qui porte un turban!

Elle donna un autre coup de louche et paf! un autre voleur tomba dans les pommes.

Elle fit la même chose avec toutes les jarres, sauf celle qui contenait de l'huile.

Puis, très fâchée, elle s'approcha du chef de la bande:

— Comme ça, tu es marchand d'huile, toi? Une vraie honte! Je n'en ai pas trouvé une seule petite goutte.

Et elle lui asséna un tel coup de louche qu'il tomba raide sur le sol. Ali Baba s'alarma:

— Qu'est-ce que tu fais, Luna? Cet homme est mon invité.

Elle lui expliqua tout et ils prévinrent la police, qui envoya en prison la bande tout entière. Ali Baba ne dit rien du trésor caché dans la caverne, mais il alla le chercher et le répartit entre tous ses voisins.

Peau d'âne

Il y avait autrefois un roi et une reine très aimés de leurs sujets. Dans les écuries royales vivait un âne étrange. Sous sa queue, chaque matin, un tas de pièces d'or apparaissait, et pour cette raison, tout allait à merveille dans le royaume.

Un jour de malheur, la reine tomba malade et, sur son lit de mort, elle dit à son époux :

— Ne te remarie que si tu rencontres une femme plus belle et plus vertueuse que moi.

Le roi, éploré, répondit :

— Jamais je ne me remarierai !

— Promets-le, dit-elle.

Et il le promit.

Apparemment, la douleur avait ébranlé son bon jugement, car il décida de se marier avec sa propre fille, la princesse ! Elle seule pouvait se comparer à sa mère. Et il lui fit connaître ses intentions.

— Quelle idée ! dit la princesse. Aurais-tu perdu la tête ?

Et comme son père insistait, elle décida d'empêcher le mariage.

D'abord, elle exigea trois robes, la première de la couleur du soleil, la deuxième de la couleur de la lune et la troisième de la couleur du vent.

— Sans ces robes, déclara-t-elle, pas de mariage dans les parages !

Le lendemain matin, lorsqu'un domestique lui apporta les robes, la jeune fille n'en crut pas ses yeux. Puis elle imagina un plan infaillible.

— Je ne me marierai avec toi que si tu m'offres la peau de l'âne qui donne de l'or, dit-elle.

Mais son père, sans hésitation aucune, fit tuer la bête et remit la peau à sa fille.

Celle-ci comprit alors que tout était perdu et qu'il ne lui restait plus qu'à se sauver. Elle se couvrit de la peau de la pauvre bête et se noircit le visage avec de la suie. Pour s'enfuir à l'insu de tous, elle attendit la tombée de la nuit. Sa marraine, la Fée des lilas, lui donna une baguette magique.

— Quand tu auras besoin de tes robes et de tes bijoux, dit-elle au moment de la quitter, donne trois coups sur le sol avec cette baguette et il apparaîtra un coffre avec toutes tes parures.

Dès qu'il eut vent de la disparition de sa fille, le roi envoya ses hommes à sa recherche, mais elle demeura introuvable.

La princesse marcha longuement avant d'atteindre le royaume voisin, où, en échange de sa nourriture, elle accepta de garder les cochons dans une ferme. Elle dormait dans un grenier et elle était toujours seule parce que, avec son visage taché, elle faisait fuir tout le monde. La nuit, elle sortait discrètement, se lavait dans la rivière et, grâce à la baguette magique, faisait apparaître le coffre. Puis, redevenue une princesse, elle se promenait au clair de lune.

Le prince héritier de ce royaume entendit parler de l'étrange domestique couverte d'une peau d'animal et, comme l'histoire l'intriguait, il décida d'aller la voir.

À la tombée de la nuit, il l'espionna par une fente dans le mur du grenier pour voir si elle était une fille ou une bête. À travers la fente, elle le vit aussi et fut charmée par son élégance. Vite, elle revêtit son costume de princesse. Et alors, émerveillé, il aperçut une jeune fille si belle qu'il ne put éviter de tomber amoureux d'elle, et elle de lui.
Il s'en allait lorsqu'il vit un objet brillant au sol et le ramassa.

C'était une bague que la princesse avait perdue!

Et lorsque Peau d'âne s'en fut à la porcherie, il la laissa sur sa paillasse.

Depuis longtemps, les parents du prince, qui étaient vieux déjà, le priaient de se marier, chose qui ne l'intéressait pas le moins du monde. À présent, tout avait changé et il était décidé à se marier avec Peau d'âne. Mais comment convaincre ses parents qu'il voulait épouser une jeune fille si folle qu'elle se vêtait de la peau d'un âne? Et il élabora un plan. À peine arrivé chez lui, il dit:

— Papa, maman, je veux bien me marier, mais à une condition…

— Tout ce que tu voudras, fils, répondirent les deux d'un même souffle.

— Peau d'âne, la domestique de la ferme qui longe la rivière, doit me préparer un gâteau, et dès que je l'aurai mangé, je me marierai.

Tout étonnée, la reine n'en ordonna pas moins qu'on fît comme il l'avait dit. Elle envoya un page transmettre l'ordre à Peau d'âne, qui, devant les fermiers intrigués, se mit aussitôt au travail. Mais elle leur joua un tour : elle glissa sa bague dans la pâte du gâteau. C'était un message secret pour le prince !

Quand le gâteau arriva au palais, le prince commença à le manger avec appétit, jusqu'à ce que ses dents rencontrent quelque chose de dur. L'objet avec lequel il avait failli s'étouffer était la bague de Peau d'âne ! Et ainsi, il comprit qu'elle lui rendait son amour.

Fou de joie, il montra la bague à ses parents et dit qu'il épouserait celle à qui elle appartenait.

— Que toutes les jeunes filles du royaume se présentent, et celle à qui cette bague ira à la perfection sera ma femme.

Le roi et la reine trouvèrent bien étrange le désir de leur fils, mais ils se dirent qu'une bague aussi fine appartenait forcément à une noble dame. Alors ils lui accordèrent son vœu, une fois de plus.

Toutes les jeunes filles du royaume essayèrent la bague, mais elle était trop grande pour les unes et trop petite pour les autres.

Puis le prince demanda :

— Mais est-ce que Peau d'âne a essayé la bague ?

— Oh ! dit la reine.

— Hein ? dit le roi.

Même si la chose leur paraissait de plus en plus bizarre, ils donnèrent encore une fois raison à leur fils.

Évidemment, la bague lui alla parfaitement. Le roi et la reine furent ébahis en voyant leur future bru, mais elle donna trois coups sur le sol avec sa baguette, se transforma en princesse et raconta son histoire. Ils s'en remirent donc rapidement.

La première personne qu'ils invitèrent aux noces fut le père de Peau d'âne, bien sûr. La fuite de sa fille l'avait abattu, mais moins que la mort de sa femme; cette fois, il eut l'idée de voyager à dos d'ours, et c'est ainsi qu'il arriva à la noce. Les parents du prince lui racontèrent tout et lui demandèrent officiellement la main de sa fille, ce à quoi il consentit de bonne grâce.

Le fier prince et la belle infante furent, à partir de ce moment, très, très heureux.

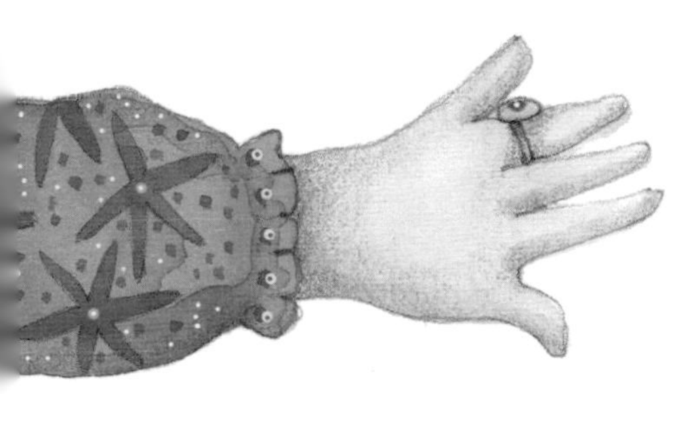

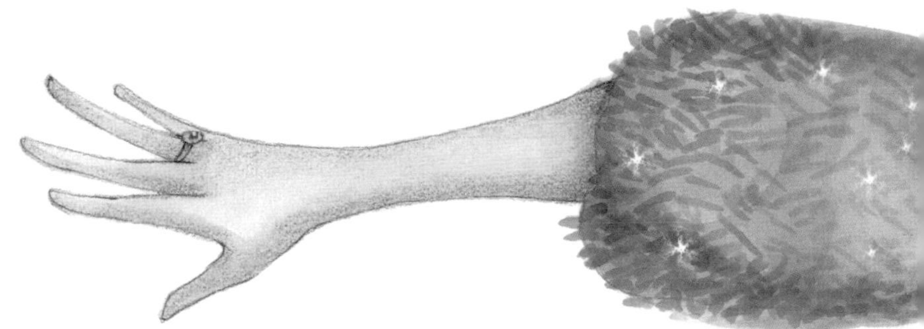

Cette histoire,
certainement,
Est un peu
farfelue
Mais elle circule
depuis longtemps
Et à tous
elle a plu.

Les habits neufs de l'empereur

Il était une fois un empereur qui avait de nombreuses vertus et gouvernait son royaume avec prudence. Malheureusement, il était aussi très, mais vraiment très vaniteux, et ce qui comptait le plus au monde, pour lui, c'était sa garde-robe. Il ne s'intéressait aux promenades, aux parties de chasse et aux fêtes que dans la mesure où il pouvait y étrenner chaque fois un habit neuf, toujours plus luxueux et plus cher que les précédents. Un beau jour, il était en train de planifier un défilé quand arrivèrent deux étrangers qui prétendaient être des tailleurs célèbres et qui réclamèrent une audience avec lui. Il les reçut aussitôt et ils se présentèrent ainsi :

Nous sommes Déacoudre et Aiguille
Et nous vous ferons un habit
Comme jamais on n'en vit
Ni ailleurs ni ici.

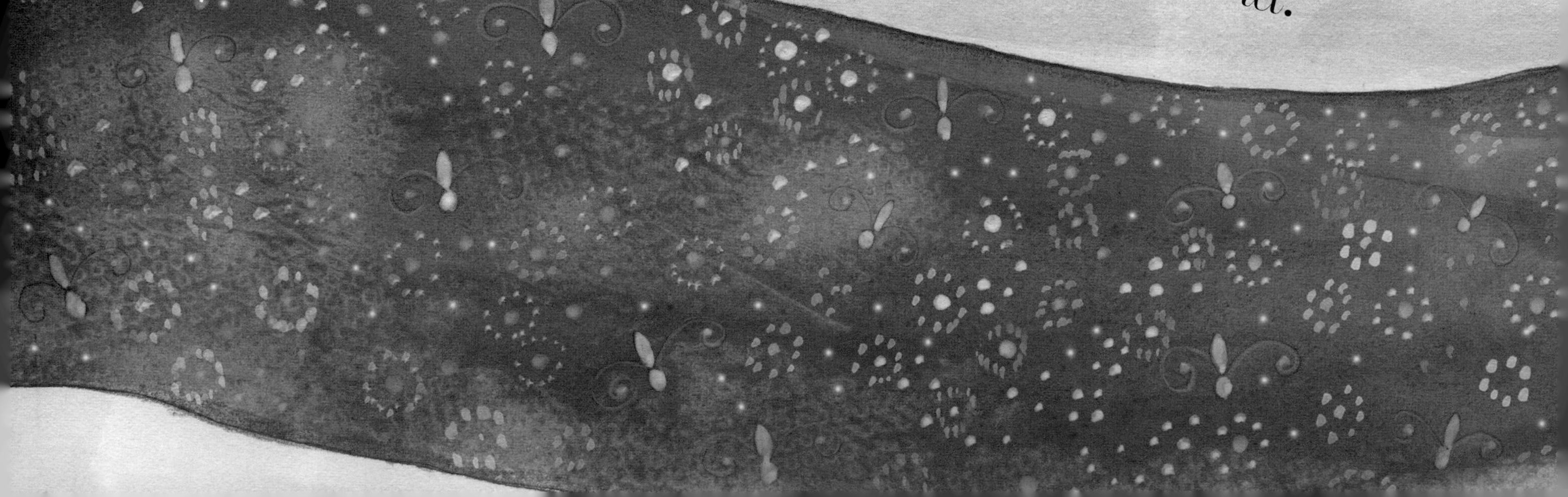

Emballé, l'empereur pensa : « Merveilleux ! De nouveaux tailleurs et un nouvel habit éblouissant pour mettre en valeur ma belle silhouette et mon élégance ! »

Mais à voix haute, il demanda seulement :

— Hmm... à quel genre d'habit songiez-vous, messieurs Aiguille et Déacoudre ?

— Oh, Majesté, commença Aiguille, il sera du tissu le plus fin, du jamais vu...

Et Déacoudre d'ajouter :

— Tout à fait, Seigneur, et laissez-moi vous dire un secret ...

— De quoi s'agit-il ?

L'empereur se frottait les mains de contentement.

Aiguille poursuivit :

— Ceux qui n'apprécieraient pas un habit d'une telle élégance...

— ... ne méritent pas d'être à votre service, enchaîna Déacoudre.

Cette nouvelle décupla l'enthousiasme du souverain, qui songea : « Non seulement je serai le plus élégant du monde, mais en plus je pourrai bannir de ma cour tous les idiots et les inutiles. » Puis il demanda :

— L'habit sera-t-il prêt à temps pour le défilé ?

— Bien sûr, Excellence !

Et ils dirent en chœur :

Dormez sur vos deux oreilles
Il sera fin prêt à étrenner.

Mais la vérité, c'est que ces deux hommes qui s'affichaient comme de grands couturiers n'étaient que des vauriens et des emberlificoteurs, qui comptaient profiter du point faible de l'empereur, bien connu de tous. Le lendemain, ils s'installèrent dans l'atelier de couture royal et se mirent à exiger des mètres et des mètres de soie, de velours, de brocart et de fourrure des couleurs les plus voyantes et les plus éblouissantes, ainsi que des fils d'or et d'argent, et des pierres précieuses en guise de garniture. Mais en réalité, ils cachaient tous ces objets dans une grande gibecière pour les revendre et s'en mettre plein les poches.

Entre-temps, l'empereur se pavanait en se félicitant :

— Imaginez, un habit invisible pour les idiots et pour ceux qui ne sont pas à la hauteur de leurs responsabilités !

Un jour passa, puis une semaine et un mois, et l'empereur avait de plus en plus hâte de voir l'habit, mais il trouvait en dessous de sa dignité la tâche d'aller se rendre compte du progrès des travaux. Il envoya à sa place le premier ministre, un homme prudent et honnête en qui il avait toute confiance. Le ministre se rendit à l'atelier de couture et demanda aux truands :

— Et alors ? Comment progresse l'habit de l'empereur ?

— Oh ! dirent les deux effrontés. Le voici, presque terminé. Tu as l'honneur d'être le premier à voir notre magnifique création.

Et ils lui montrèrent une table de couture.

Le pauvre ministre eut beau se rapprocher, sortir son monocle et regarder attentivement, il ne voyait rien. Toutefois, il se rappelait parfaitement que les idiots et ceux qui n'étaient pas à la hauteur de leur charge ne pouvaient voir cet habit spécial.

— Magnifique, il est tout simplement magnifique, on n'a jamais rien vu de tel, dit-il pour se tirer d'affaire.

Rouge de honte, il s'en fut en pensant : « Je serais donc un imbécile ? Eh bien, je ne vais pas démissionner pour si peu ! »

Et il dit à l'empereur que l'habit était de toute beauté.

Le jour du défilé, à la première heure, les bandits se présentèrent devant l'empereur, les mains vides, et déclarèrent :

— Voici votre habit. Enlevez celui que vous portez et nous vous aiderons à l'enfiler.

Au même titre que les domestiques qui l'entouraient, l'empereur ne vit rien. Il était sur le point de le dire, mais alors il songea qu'il était un idiot ou qu'il ne méritait pas ces honneurs. « Motus et bouche cousue », pensa-t-il.

Les simulateurs continuèrent leurs simagrées. Ils firent tous les gestes d'habiller l'empereur : attacher sa ceinture, draper sur ses épaules une grande cape, lui attacher une longue traîne. Ils précisèrent même que plusieurs domestiques devaient suivre leur souverain en lui tenant la traîne bien haut pour éviter qu'elle se salisse en frôlant le sol.

Mais la vérité qu'il fallait taire ?
L'empereur était nu comme un ver.

Tous les habitants du royaume attendaient dans la rue pour voir le défilé et le merveilleux habit de l'empereur, dont ils avaient tant entendu parler. Et ils ont tous vu l'empereur, en effet, mais... **il était tout nu !**

Évidemment, de crainte d'avoir l'air idiot, personne n'osa le signaler. Toutefois, un enfant, un tout petit enfant, monté sur les épaules de son père pour mieux voir, montra le souverain du doigt et cria :

— Papa... l'empereur est tout nu.

Quelques voix s'élevèrent aussitôt :

— Silence, petit effronté, et toi, enseigne donc les bonnes manières à ton fils !

— Quelle honte, qu'est-ce qu'il ne faut pas entendre !

Et les parents de l'enfant dirent :

— Tais-toi, fils, tu risques de devenir idiot !

Mais quelques passants, plus sages ou plus courageux que les autres, commencèrent à murmurer :

— Il a raison, le petit ! L'empereur est nu…

Bientôt, d'autres voix s'élevèrent et tous les spectateurs tinrent le même discours. L'empereur, qui les entendait parfaitement, ne pouvait se retourner et rentrer en courant s'habiller, à cause de sa terrible vanité.

Il continua donc à défiler sous les yeux de la multitude, flambant nu, et son suivant marcha derrière lui en tenant la traîne inexistante de sa cape de fourrure, comme si de rien n'était.

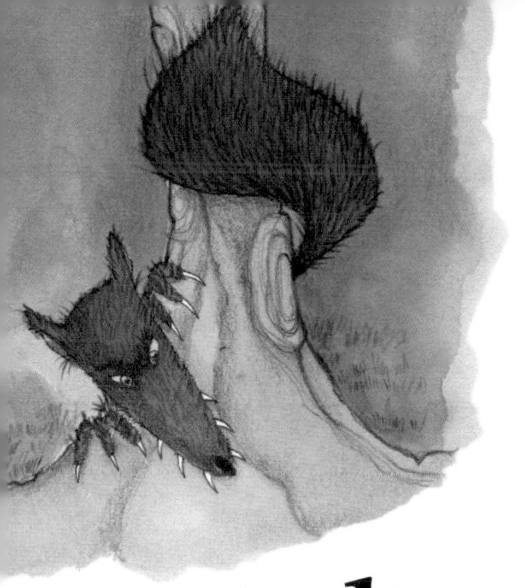

Les sept petits chevreaux

Dans une forêt, une maman chèvre habitait avec ses sept chevreaux une cabane faite de branches et de feuilles. Un matin, au réveil, elle se rendit compte qu'ils étaient à court de nourriture. Elle se décida à aller chercher de l'herbe dans le pré, mais avant de partir, elle mit ses enfants en garde :

— Mes chers petits, je dois sortir et vous allez devoir passer un moment seuls. Fermez bien la porte et n'ouvrez à personne.

— Pourquoi ? demanda le cadet.

— Parce que j'ai vu un loup affamé qui rôdait dans les parages. Un très méchant loup ! Il a les pattes très noires et la voix très rauque.

Les petits chevreaux promirent à leur maman qu'ils seraient prudents et qu'ils n'ouvriraient la porte à personne, et surtout pas au loup.

Aucun de nous n'est assez fou
Pour laisser entrer le loup.

Alors ils dirent au revoir à leur maman, qui avait eu bien raison de les mettre en garde. Parce que depuis un moment, le loup guettait la petite famille et se pourléchait les babines à l'idée de la bonne chair tendre des chevreaux. Dès que la maman chèvre sortit, il courut vers la cabane et frappa à la porte.

Toc, toc ! Le gredin dit :

— Ouvrez-moi, mes petits, j'ai oublié quelque chose…

Mais les chevreaux comprirent tout de suite que ce n'était pas leur mère qui leur parlait et ils répondirent :

— Va-t'en ! Nous n'allons pas t'ouvrir. Tu as la voix toute rauque, alors que celle de maman est délicate…

Le loup s'en fut très fâché, mais plus décidé que jamais à manger les chevreaux. Il se dirigea vers une grange et engloutit une douzaine d'œufs pour adoucir sa voix. Puis il retourna chez les chevreaux et frappa de nouveau à la porte :

Tac, tac ! Et en adoucissant sa voix, le vaurien dit :

— Ouvrez-moi, mes petits, maman est de retour.

Mais les chevreaux se méfièrent, malgré la voix moins rude.

— Si tu es vraiment notre maman, passe ta patte sous la porte pour qu'on la voie.

Le loup leur montra une de ses pattes et quand ils virent qu'elle était toute noire, les chevreaux crièrent :

— Va-t'en ! Nous n'allons pas t'ouvrir. Tu as la patte noire, alors que celle de maman est blanche…

De nouveau, le loup s'en alla, furieux, en se disant que ces petits étaient plus futés qu'ils en avaient l'air et qu'il avait de plus en plus envie de les manger. Il s'en fut directement à un moulin et enfouit ses pattes dans un grand sac de farine. Puis il retourna chez les chevreaux et frappa à la porte.

Tuc, tuc ! Et tout en se préparant à montrer patte blanche, le filou dit :

— C'est maman, ouvrez-moi !

Toujours prudents, les chevreaux demandèrent à voir sa patte. Et quand ils constatèrent qu'elle était blanche comme celle de leur maman, ils ouvrirent.

Pauvres petits ! Sans même leur donner le temps de se remettre du choc, le loup les avala l'un après l'autre, à commencer par le plus grand. Heureusement, l'un d'eux échappa à ce sort ! Oui, le plus petit de tous se cacha sous le four et le loup ne le trouva pas. Il s'en alla, repu, décidé à faire une bonne sieste digestive.

Aïe ! Quand la maman chèvre revint, elle trouva la porte ouverte, la maison sens dessus dessous et ses fils disparus. Elle se mit à pleurer :

— Mes fils, mes tout-petits, qu'est-ce qui vous est arrivé ?

Lorsqu'il reconnut la voix de sa maman, le plus petit chevreau sortit avec mille précautions de sa cachette et lui fit le compte rendu des événements.

Elle lui dit :

— Tu as été très prudent, mon fils. Va te cacher de nouveau ; j'irai trouver le loup, moi.

Elle sortit en emportant des ciseaux, du fil et une aiguille, sans voir que le tout-petit, au lieu de se cacher, était sorti à sa suite. Dans le pré, près de la rivière, elle trouva le loup couché sur le dos, profondément endormi.

Et il ronflait fort, mais fort !

Pouoff, pouofff, re re re, grrr...

Et ainsi de suite.

Il avait la bedaine toute gonflée et la chèvre comprit aussitôt ce qu'elle avait à faire. Elle lui ouvrit la panse de haut en bas à l'aide des ciseaux, et les chevreaux en sortirent un à un.
À la fin, les six l'entouraient, en compagnie de leur petit frère, celui que le loup n'avait pas réussi à dévorer.
La maman chèvre prit quelques grosses pierres et en remplit le ventre du loup. Puis elle le recousit à l'aide du fil et de l'aiguille et s'en fut vite à la maison en compagnie de ses petits.
À la tombée de la nuit, le loup se réveilla, assoiffé.
En se penchant pour boire dans la rivière, il perdit l'équilibre à cause de sa grosse bedaine.
Il tomba à l'eau et coula à pic.

Et ils vécurent heureux 
jusqu'à la fin de leurs jours.

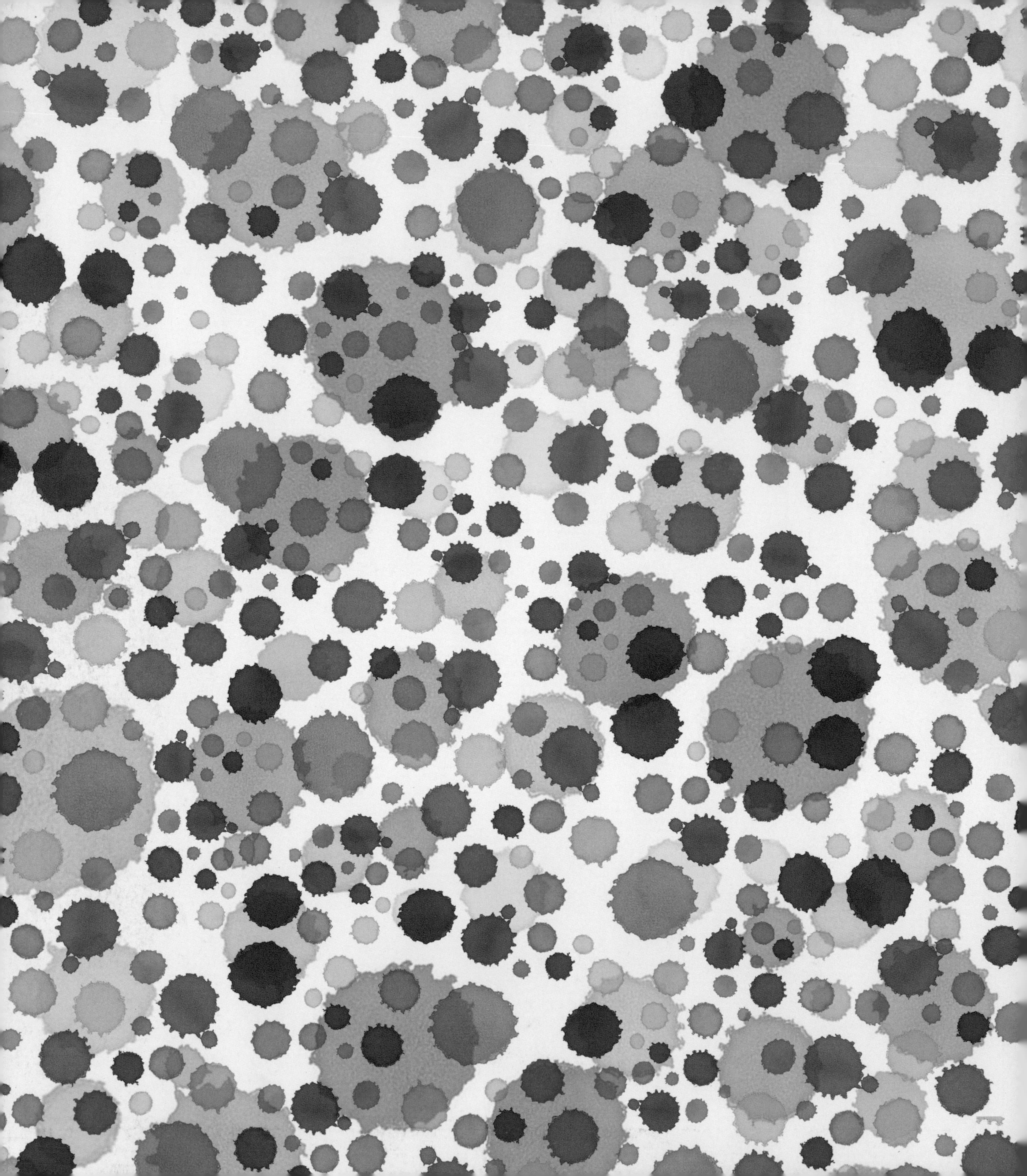